Judô
Kodokan

Prof. Jigoro Kano

Jigoro Kano

Judô
Kodokan

Publicado sob a supervisão do Kodokan Editorial Committee

Traduzido por Wagner Bull

Editora Cultrix
SÃO PAULO

Título original: *Kodokan Judo*.
Copyright © 1986 Kodokan e Kodansha International Ltd.
Copyright da edição brasileira © 2009 Editora Pensamento-Cultrix Ltda.
1ª edição 2009 (catalogação na fonte 2008).
9ª reimpressão 2024.
Publicado mediante acordo com Kodansha International Ltd.
Todos os direitos reservados. Nenhuma parte deste livro pode ser reproduzida ou usada de qualquer forma ou por qualquer meio, eletrônico ou mecânico, inclusive fotocópias, gravações ou sistema de armazenamento em banco de dados, sem permissão por escrito, exceto nos casos de trechos curtos citados em resenhas críticas ou artigos de revistas.

A Editora Cultrix não se responsabiliza por eventuais mudanças ocorridas nos endereços convencionais ou eletrônicos citados neste livro.

Dados Internacionais de Catalogação na Publicação (CIP)
(Câmara Brasileira do Livro, SP, Brasil)

Kano, Jigoro
    Judô Kodokan / Jigoro Kano ; publicado sob a supervisão do Kodokan Editorial Committee ; traduzido por Wagner Bull. — São Paulo : Cultrix, 2008.

    Título original : Kodokan judo
    ISBN 978-85-316-1023-3

    1. Judô 2. Judô — Manuais, guias, etc. I. Kodokan Editorial Committee. II. Título.

08-07616   CDD-796.8152

Índices para catálogo sistemático:
1. Judô : Esportes 796.8152

Direitos de tradução para a língua portuguesa
adquiridos com exclusividade pela
EDITORA PENSAMENTO-CULTRIX LTDA.
Rua Dr. Mário Vicente, 368 — 04270-000 — São Paulo, SP
Fone: (11) 2066-9000
E-mail: atendimento@editoracultrix.com.br
http://www.editoracultrix.com.br
que se reserva a propriedade literária desta tradução.
Foi feito o depósito legal.

Contribuições

Yoshitsugu Yamashita, 10º *dan*†
Hajime Isogai, 10º *dan*†
Shuichi Nagaoka, 10º *dan*†
Kyuzo Mifune, 10º *dan*†
Kaichiro Samura, 10º *dan*†
Sumiyuki Kotani, 10º *dan*†
Yoshizo Matsumoto, 9º *dan*†
Teizo Kawamura, 9º *dan*
Toshiro Daigo, 9º *dan*
Yoshimi Osawa, 9º *dan*
Saburo Matsushita, 8º *dan*
Shiro Yamamoto, 8º *dan*
Tsuyoshi Sato, 8º *dan*
Kazuhiko Kawabe, 8º *dan*†
Hiroshi Onozawa, 8º *dan*
Jiro Miura, 7º *dan*
Haruko Niboshi, 8º *dan*†
Katsuko Umezu, 7º *dan*
Naoko Miyajima, 6º *dan*†
Keiko Ishibashi, 6º *dan*
Sumiko Akiyama, 6º *dan*

Nota: O símbolo † indica que a pessoa é falecida. Os cinco últimos nomes são de mulheres judocas.

O Centro Internacional de Judô Kodokan

Sumário

Prefácio à Edição Brasileira 11
Introdução 15

I. OS CONCEITOS BÁSICOS DO JUDÔ

1. O Jujutsu se torna Judô 19
2. Princípios e Metas do Judô da Kodokan 24
    O Judô como Educação Física 24
    Dois Métodos de Treinamento 25
    Treinamento da Mente 26
    Treinamento Ético 27
    Estética 28
    O Judô Fora do *Dojo* 28
3. Pontos Básicos do Treinamento 30
    O *Dojo* 30
    O *Judogi* 31
    Etiqueta no *Dojo* 35
    A Importância da Prática Regular 37
    Uma Palavra de Cautela 37

II. AS TÉCNICAS

4. Movimentos Básicos 41
    Posturas 41
    A Pegada Básica 42
    Movendo e Girando 43
    O Princípio da Dinâmica 45
    Ukemi 49
5. Classificação das Técnicas 59
6. *Nage-waza* 63
    Gokyo no Waza: Grupo 1 64
    Gokyo no Waza: Grupo 2 72
    Gokyo no Waza: Grupo 3 80
    Gokyo no Waza: Grupo 4 88
    Gokyo no Waza: Grupo 5 96
    Shimmeisho no Waza 104

7. *Katame-waza*	114
Osae-komi-waza	114
Shime-waza	121
Kansetsu-waza	129
8. Ataque Contínuo	135
9. *Atemi-waza*	140
As Armas do Corpo	141
Pontos Vitais	142

III. A PRÁTICA LIVRE

10. *Randori*	145

IV. AS FORMAS

11. *Kata*	149
12. *Nage no Kata*	152
Técnicas de Mão	152
Técnicas com o Quadril	155
Técnicas com Pé e Perna	156
Técnicas de Sacrifício Supino	158
Técnicas de Sacrifício Laterais	161
13. *Katame no Kata*	164
Osae-komi-waza	165
Shime-waza	169
Kansetsu-waza	173
14. *Kime no Kata*	177
Idori	178
Tachiai	185
15. *Kodokan Goshin Jutsu*	196
Contra-ataque Desarmado: ao ser Segurado	197
Contra-ataque Desarmado: à Distância	200
Contra-ataque Armado	203
16. *Ju no Kata*	208
Iniciando o *Kata*	208
Grupo 1	208
Grupo 2	214
Grupo 3	219
17. *Itsutsu no Kata*	224
Forma 1	224
Forma 2	224
Forma 3	226
Forma 4	226
Forma 5	227

18. *Koshiki no Kata* 228
    Omote 228
    Ura 237

V. SAÚDE E PRIMEIROS SOCORROS

19. *Seiryoku Zen'yo Kokumin Taiiku* 243
    Tandoku Renshu 244
    Sotai Renshu 251
20. *Kappo* 256

Apêndice A: Cronologia de Jigoro Kano 259
Apêndice B: Guia para a Kodokan 261
Glossário 265

Prefácio à edição brasileira

Existem duas lendas que foram transmitidas boca a boca durante milênios. Conta uma delas que, certa vez, um menino observou assustado como as grandes árvores eram arrancadas e seus galhos mais grossos dobrados durante uma forte tempestade. Salvou-se apenas uma pequena árvore que tinha simplesmente inclinado sua copa até o chão. Quando a tempestade passou, parando de arrasar tudo a sua frente, a arvorezinha levantou a copa e lá estava ela, como antes.

Outra lenda de tradição japonesa fala de um salgueiro e de uma cerejeira durante o inverno. Os galhos da cerejeira quebravam como se fossem palitos de fósforo sob o peso da neve, enquanto o salgueiro, flexível, cedia, fazendo a neve escorregar, não lhe dando chance de pressioná-lo.

Estudei judô no começo de minha carreira nas artes marciais, mas, por força das circunstâncias, acabei tornando-me praticante e professor de outra arte marcial — o aikido, muito semelhante ao judô em seus conceitos mais importantes —, certamente influenciado pelos nobres conceitos que o judô me ensinou inicialmente. E posso afirmar, como praticante e professor de aikido, que o judô foi o grande veículo de introdução aos caminhos orientais *DO* em todo o mundo e um dos melhores embaixadores que o Japão já teve, não só em termos culturais como também em outras áreas.

A grande maioria das escolas de aikido no Ocidente se iniciou dentro dos *dojos* de judô, por meio do relacionamento entre professores e devido às afinidades entre essas duas artes. Quando viu o aikido pela primeira vez, Jigoro Kano enviou seus alunos para aprendê-lo com Morihei Ueshiba; aliás, como sempre fazia ao encontrar algo interessante. Depois ele incorporava os conhecimentos de outras artes marciais em sua criação, o que, em seu somatório, gerou o judô, essa arte fantástica e eficiente, esse esporte e caminho marcial. O aikido foi ensinado na Kodokan por Kenji Tomiki, que o chamava de "judô à distância"; tornaram-se assim artes-irmãs e convivem até hoje em harmonia. É fácil para os praticantes de aikido aprenderem o judô, e vice-versa. (Aproveito para expressar aqui meus agradecimentos ao Sr. Francisco de Carvalho Filho e sua equipe na Federação Paulista de Judô, que sempre nos apoiaram quando deles necessitamos.)

Quando conheci o original deste livro, em inglês, fiquei fascinado com sua qualidade e apresentei-o ao editor de meus livros, Ricardo Riedel. Recomendei-lhe com muito empenho e entusiasmo a publicação no Brasil desta obra magnífica, pois eu sabia que centenas de milhares de judocas brasileiros tinham interesse em entrar em contato com os ensinamentos diretos de Jigoro Kano. Afinal trata-se da obra do fundador do judô, uma bíblia que deveria ser lida por todos que se dedicam a esse Caminho. Traduzi a obra com orgulho, ajudado por minha aluna Jaqueline Freire.

Sinto-me gratificado por ter tido a oportunidade de retribuir de alguma maneira a grande ajuda que, no Brasil, o judô prestou e continua prestando ao aikido, seu "primo caçula".

Com a revolução dos costumes que abalou o Japão, de 1868 em diante, Jigoro Kano dedicou-se a viver o *ju-jitsu*. A partir de antigas escolas e de antigos mestres, ele reuniu em sua técnica o que neles encontrava de melhor. Acabou lançando um método próprio — ao qual chamou de judô —, que eliminava os golpes mais lesivos (socos e pontapés), pois a finalidade já não era mais formar guerreiros, mas cidadãos pacíficos; ao contrário do *ju-jitsu* antigo, que visava o combate e podia ser usado em batalhas.

Ju, em japonês, significa "suavidade", "delicadeza", e *Do* quer dizer "caminho". Assim, judô significa "o caminho da suavidade", "o caminho da gentileza". Ou seja, a idéia de Kano era desenvolver um treinamento para que as pessoas aprendessem a resolver seus conflitos de maneira harmônica e suave, exatamente como outros *DO* japoneses que buscavam o conceito de *WA* (paz e harmonia).

O caminho percorrido desde o *ju-jitsu*, uma antiga arte marcial combativa do Japão, até o judô moderno significou uma reviravolta que envolveu o desenvolvimento dos aspectos educacional e espiritual. E esse fecho situava-se nos dois enunciados: o uso da energia para o bem e para o progresso, próprio e dos outros; e a sabedoria do lema "Máxima eficiência com um mínimo de esforço".

Sendo assim, o judô da Kodokan nasceu para ser um grande caminho educacional em todo mundo, de modo a torná-lo um mundo mais pacífico e harmônico. O judô recebeu forte apoio oficial, tendo sido introduzido nas escolas públicas do Japão como matéria obrigatória na prática de educação física. Jamais devemos esquecer esse aspecto, pois há uma tendência de "esportivisar" o judô e esquecer suas raízes, que é o que ele oferece de mais belo e profundo para a humanidade.

O judô esportivo atual resultou da incrementação das competições (*shiai*), que existiam na fase inicial no judô, mas que eram apenas para testar e verificar o avanço técnico. As competições deram ao judô um grande impulso em termos de número de adeptos. Mas, a meu ver, custou-lhe um preço excessivo, pois a ênfase em ganhar medalhas pode, em muitos casos — como nas mentes e corações competitivos, preocupados apenas com vitórias —, deturpar os princípios espirituais e tradicionais para os quais essa arte foi idealizada. Hoje, existem campeonatos mundiais e continentais, e o judô tornou-se um esporte olímpico; infelizmente, como resultado, muita gente no Brasil vê o judô apenas como mais um esporte competitivo que traz orgulho pelas vitórias e satisfaz o ego e o nacionalismo, como o futebol. E isso é um grave erro se buscarmos as origens dessa arte. Essa não foi a proposta de Kano, que era acima de tudo um educador. Claro que nós, brasileiros, orgulhamo-nos de ver nossos judocas recebendo medalhas olímpicas e nossos atletas entre os melhores do mundo, mas gostaria de deixar aqui um alerta: não nos esqueçamos da grande mensagem do judô tradicional, educacional, que visa à resolução de conflitos através da suavidade, do "Caminho Suave". É preciso lembrar que, quando os praticantes de judô fazem o seu cumprimento diante do oponente durante o treino, isso significa uma homenagem ao grande princípio do judô de Kano, que visava o *DO*. Foi graças a esse espírito inicial que um número cada vez maior de colaboradores juntou-se a ele, atraídos principalmente pelo princípio moral que servia de fundo para esse esporte.

Quando criança, lembro-me — eu vivia no interior do Paraná, entre imigrantes japoneses — que o judô era visto entre nós como algo que uma criança pequena e franzina podia aprender e depois enfrentar um garoto muito mais alto e forte e não se deixar abater. Aqueles que treinavam essa arte eram respeitados e vistos como portadores de um poder especial, devido a um conhecimento oculto altamente técnico, independentemente de músculos, peso ou altura.

Cabe aos dirigentes e aos professores do judô moderno tornarem-se conscientes e zelarem pela preservação desses princípios, sem os quais o judô, no futuro, não passará de mais um esporte competitivo, como centenas de outros que dependem muito mais da força e do vigor físico, esquecendo-se da técnica e deixando de ser *JU-DO*!

Wagner Bull
Fundador do Instituto Takemussu e
Presidente da Confederação Brasileira de Aikido
www.aikikai.org.br

Introdução

Falar de judô é falar de Jigoro Kano. Ouvir o nome de Jigoro Kano nos faz lembrar a Kodokan.

Em 1982, a Kodokan completou um centenário de intensa atividade, pois foi em fevereiro de 1882 que o judô Kodokan surgiu e três meses depois, em maio, a Kodokan foi criada.

Para celebrar as grandes vitórias de Jigoro Kano e dar uma nova energia à realização de seus ideais, vários eventos comemorativos foram realizados, sob os cuidados da Kodokan. Um deles, a grande cerimônia de abertura do novo *dojo* central, ocorreu em abril de 1984, marcando o centenário da Kodokan e a conclusão do novo Centro Internacional de Judô Kodokan.

O professor Kano buscava a perfeição do ser humano através do judô e o aprimoramento da humanidade por meio do bem-estar de todos. Esse grande ideal é o cerne da filosofia da Kodokan, e sua realização sempre foi e sempre será a nossa meta.

Este livro, cuja publicação fez parte dos eventos comemorativos, é uma nova edição do trabalho original, lançado em 1956, e foi compilado e editado por antigos alunos e seguidores do professor Kano. O trabalho original era composto de ensinamentos sobre a teoria e as técnicas do judô. Nesta nova edição, o original foi complementado por outros textos do professor Kano, bem como por demonstrações e explicações dos principais conhecedores do assunto.

A edição de 1956 é um documento histórico valioso que se tornou o mais importante livro sobre judô. Publicado pela Kodokan, é visto como o trabalho mais importante sobre os ensinamentos do judô, e seu prestígio é sem igual em todo o mundo. Naturalmente, recebemos muitos pedidos para que fosse republicado, mas isso acabou não sendo possível. Esta edição nova e revisada do judô da Kodokan está, portanto, sendo oferecida em resposta aos muitos pedidos recebidos tanto do Japão quanto do exterior.

A internacionalização do judô tem sido impressionante nos últimos anos. Ao mesmo tempo, tem havido uma tendência geral de se abrir brechas para certas mudanças. Neste ponto, a questão "o que é o judô?" é altamente relevante e merece uma resposta.

Como está colocado no parágrafo primeiro dos regulamentos da Federação Internacional de Judô, "Ela [a Federação] reconhece como judô o que foi criado por Jigoro Kano". Sob o ponto de vista da correta divulgação do judô pelo mundo, é altamente desejável que o significado e a natureza real do judô, como mostrados neste livro, sejam reconhecidos.

É meu sincero desejo que, com sua oportuna publicação, este importante livro venha a ser lido em todo o mundo, não apenas pelos que ensinam judô, mas por todos aqueles que o praticam e o apreciam.

Yukimitsu Kano
Presidente, Kodokan

Nota: Como dissemos acima, este livro é uma revisão da obra *Kodokan Judo*, publicada em 1956. O presente volume inclui material adicional proveniente de três fontes. O Capítulo 1, os parágrafos de 1 a 5 do Capítulo 2 e os parágrafos de 1 a 3 do Capítulo 3 foram escritos em inglês pelo professor Jigoro Kano. Esses trechos apareceram inicialmente em um livro chamado *Judo (Jujutsu)*, publicado em 1937 pela Maruzen Company, de Tóquio. Outro trecho foi escrito em japonês pelo professor Kano e traduzido aqui, tornando-se a última seção do Capítulo 2. Esse texto foi publicado por Hori Shoten (Tóquio) em setembro de 1931, em *Judo Kyohon*. Outras partes deste trabalho foram escritas pelo comitê editorial da Kodokan para que a força de vontade e o espírito do autor pudessem ser preservados e apresentados aos estudantes de judô em todo o mundo.

Os nomes das pessoas que contribuíram para este livro estão listados na p. 5. Além disso, observe que o *tori* nas fotos do *Koshiki no Kata* é Jigoro Kano e o *uke* é Yoshitsugu Yamashita.

I
OS CONCEITOS BÁSICOS DO JUDÔ

1. O Jujutsu se torna Judô

1. O berço do judô da Kodokan. Este é o portal principal do templo budista de Eishoji.

A maioria das pessoas, sem dúvida, já ouviu as palavras *jujutsu* e judô, mas será que elas sabem a diferença entre seus significados? Vou explicar aqui o significado real dos dois termos e descrever como foi que o judô veio a ocupar o lugar do *jujutsu*.

Muitas artes marciais eram praticadas no Japão durante a sua era feudal, artes que faziam uso de lança, de arco e flecha, de espadas e de muitas outras armas. O *jujutsu* era uma dessas artes. Também chamado de *taijutsu* e de *yawara*, era um sistema de ataque em que se podia arremessar o oponente, bater nele, chutá-lo, apunhalá-lo, chicoteá-lo, estrangulá-lo, torcer-lhe ou entortar-lhe os membros e imobilizá-lo; e esse sistema também ensinava as defesas para tais ataques. Apesar de as técnicas do *jujutsu* serem conhecidas havia muito tempo, só depois da segunda metade do século XVI ele passou a ser praticado e ensinado de maneira sistematizada. Durante o período Edo (1603-1868), o *jujutsu* se desenvolveu e tornou-se uma arte complexa, ensinada pelos mestres de muitas escolas.

Em minha juventude, estudei *jujutsu* com muitos mestres famosos. Seus vastos conhecimentos, o fruto de anos de pesquisas constantes e de ricas experiências, foram muito valiosos para mim. Naquela época, cada pessoa apresentava sua arte

2. A criação do judô é comemorada com uma pedra cerimonial no jardim de Eishoji.

3. As técnicas da escola Tenshin Shin'yo de *jujutsu* são algumas das fontes das técnicas do judô.

como um conjunto de várias técnicas. Ninguém percebia o princípio único que existia por trás do *jujutsu*. Quando eu percebia diferenças nas formas de ensino das técnicas entre um professor e outro, em geral me sentia perdido, sem saber qual era a correta. Isso me levou a procurar um princípio que delineasse o *jujutsu*, um princípio que fosse aplicado sempre que se atacasse o oponente. Após um abrangente estudo sobre o assunto, percebi um princípio único que unia tudo: era necessário fazer o uso mais eficiente possível das energias mental e física. Com esse princípio em mente, estudei novamente todos os métodos de ataque e defesa que tinha aprendido, mantendo apenas aqueles que estivessem de acordo com esse princípio. Descartei os que não estavam de acordo e substituí-os por técnicas em que o princípio estava corretamente aplicado. Ao conjunto de todas as técnicas resultantes chamei então de judô, para distinguir essa arte de sua predecessora, e é ela que nós ensinamos na Kodokan.

As palavras *jujutsu* e *judo* são escritas, cada uma delas, com dois ideogramas chineses. O *ju* nas duas é o mesmo, e significa "gentilmente" ou "cedendo passagem". O significado de *jutsu* é "arte", "prática", e *do* significa "princípio" ou "caminho", o Caminho que é o próprio conceito de vida. *Jujutsu* pode ser traduzido como "a arte gentil", *judo* como "o caminho da gentileza"; portanto, primeiro é necessário ceder, para finalmente obter a vitória. *Kodokan* é, literalmente, "a escola para o estudo do Caminho". Como veremos no próximo capítulo, o judô é mais que uma arte de ataque e defesa. É um modo de vida.

Para compreender o que quero dizer com "gentileza" ou "ceder passagem", imaginemos que um homem está na minha frente e sua força equivale a dez pontos, enquanto a minha força é de apenas sete pontos. Se ele me empurrar com toda sua força, posso ter certeza de que serei vencido, mesmo eu resistindo com toda a minha força. Isso é opor força com força. Mas, se em vez de me opor a ele, eu ceder espaço na mesma extensão em que ele me empurrou, recuando meu corpo e mantendo o equilíbrio, meu oponente perderá o equilíbrio. Enfraquecido por essa posição desa-

4. Usando o princípio de *yawara*, mesmo uma pessoa pequena pode jogar no chão uma pessoa maior.

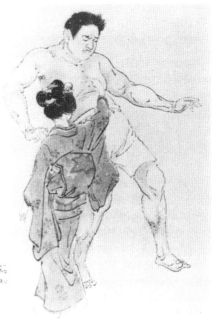

5. Uma mulher indefesa pode anular a força de um gigante se usar seu próprio poder de maneira eficiente.

jeitada, ele será incapaz de usar toda a sua força, e então terá sua força diminuída para três pontos. Como eu mantenho meu equilíbrio, minha força continua sendo de sete pontos. Nesse momento, eu estou mais forte que o oponente e posso derrotá-lo, usando apenas metade da minha força e guardando a outra metade para outra necessidade. Mesmo que você seja mais forte que seu oponente, é melhor primeiro ceder espaço. Ao agir assim, você conserva energia, enquanto seu oponente se enfraquece.

Esse é apenas um exemplo de como você pode derrotar seu oponente cedendo espaço. A arte foi chamada de *jujutsu* por ser composta de muitas técnicas que usam esse princípio de não resistir. Vamos olhar alguns outros exemplos do que pode ser conseguido com o *jujutsu*.

Vamos supor que um homem está diante de mim. Como um tronco de madeira em pé, ele pode ser empurrado para fora de seu ponto de equilíbrio, para a frente ou para trás, com um único dedo. Se, no momento em que ele se desequilibrar para

6. Treino de judô no *dojo* Fujimi-cho, segundo ilustração de Shuzan Hishida. Observando da plataforma à esquerda está o Mestre Kano.

a frente, eu passar o braço pelas costas dele e rapidamente colocar meu quadril na frente do dele, meu quadril se tornará um ponto de apoio. Para jogá-lo no chão, mesmo que ele seja muito mais pesado que eu, tudo o que preciso fazer é girar um pouco o quadril e puxá-lo pelo braço ou pela manga.

Digamos que eu consegui desequilibrá-lo para a frente, mas ele avança um passo com um dos pés. Eu ainda posso jogá-lo facilmente no chão, apenas colocando o calcanhar abaixo do tendão de Aquiles da perna dele que avançou, um segundo antes de ele colocar todo seu peso naquele pé. Esse é um bom exemplo do uso eficiente da energia. Com apenas um pequeno esforço, consigo derrotar um oponente que possui uma força considerável.

O que posso fazer se alguém vier correndo e me empurrar? Se, em vez de empurrar de volta, eu segurar com as duas mãos os braços dessa pessoa ou a sua gola, colocar o calcanhar de um dos meus pés contra seu abdome, esticar minha perna e sentar para trás, eu posso fazê-la saltar sobre a minha cabeça.

Ou suponha que meu oponente se curve um pouco para a frente e me empurre com uma das mãos. Esse movimento deixa-o desequilibrado. Se eu segurá-lo pela parte superior da manga que está estendida, girar e colocar minhas costas perto de seu peito e rapidamente me curvar, ele vai voar sobre minha cabeça e cair de costas.

Como esses exemplos mostram, para o propósito de arremessar o oponente, o princípio da alavanca é muitas vezes mais importante que ceder espaço. O *jujutsu* também inclui outras formas de ataque direto, como socos, chutes e estrangulamento. A esse respeito, nem sempre a definição "a arte de ceder passagem" carrega o verdadeiro significado da palavra *jujutsu*. Se aceitarmos que o *jujutsu* é a arte ou a prática de usar com mais eficiência a energia mental e física, podemos pensar no judô como um caminho, um princípio, para fazermos isso, e assim chegamos a uma verdadeira definição.

Em 1882, fundei a Kodokan para ensinar judô a outras pessoas. Em poucos anos, o número de alunos rapidamente cresceu. Eles vieram de todas as partes do Japão,

7. Mestre Kano dá instruções de judô para alunos estrangeiros na Universidade de Berlim, em 1933.

muitos abandonaram mestres de *jujutsu* para treinar comigo. Com o tempo, o judô tomou o lugar do *jujutsu* no Japão, e ninguém mais fala do *jujutsu* como uma arte atual neste país, embora em outros países essa palavra ainda seja usada.

2. Princípios e Metas do Judô da Kodokan

O JUDÔ COMO EDUCAÇÃO FÍSICA

Como tive grande sucesso em aplicar o princípio da máxima eficiência nas técnicas de ataque e defesa, eu me perguntei se o mesmo princípio poderia ser aplicado na melhoria da saúde, ou seja, na educação física.

Qual é o objetivo da educação física? Já ouvimos muitas opiniões sobre isso. Depois de pensar demoradamente sobre essa questão e conversar com várias pessoas que conheciam o assunto, concluí que seu objetivo é tornar o corpo forte e saudável, e, ao mesmo tempo, formar o caráter através da disciplina mental e moral. Tendo assim esclarecido o propósito da educação física, vamos ver até que ponto os seus métodos comuns estão em conformidade com o princípio da eficiência máxima.

As formas como as pessoas treinam seu corpo são muitas e variadas, mas essas formas sempre entram em duas categorias: esporte e ginástica. É difícil falar de maneira generalizada sobre esportes porque existem muitos tipos diferentes, mas eles compartilham uma característica importante: são de natureza competitiva. Seus objetivos originais não eram promover um desenvolvimento físico equilibrado e uma boa saúde. Inevitavelmente, o que acontece é que alguns músculos são utilizados em excesso, enquanto outros ficam esquecidos. Assim, às vezes o esporte pode causar um problema maior a diversas áreas do corpo. Como educação física, muitos esportes podem não receber uma nota alta — de fato, deveriam ser abandonados ou melhorados –, pois deixam de fazer um uso mais eficiente das energias mental e física, e impedem o progresso em relação à promoção da saúde, da força e da utilização do corpo.

Por outro lado, a ginástica é muito boa como educação física. Sua prática não causa problemas para o corpo, em geral é benéfica para a saúde e promove o desenvolvimento equilibrado. Mesmo assim, a ginástica, como normalmente é praticada hoje em dia, falha em dois aspectos: interesse e utilidade.

Há muitas maneiras de tornar a ginástica mais interessante para o público, mas uma que recomendo é que se pratique um grupo de exercícios que tentei desenvolver. Cada combinação de movimentos de membros, pescoço e tronco é baseada no princípio da máxima eficiência e representa uma idéia. Feitos em combinação, eles promovem de maneira eficaz um desenvolvimento físico e moral harmonioso. Outro grupo de exercícios que criei, o *Seiryoku Zen'yo Kokumin Taiiku* (Educação Física Nacional de Máxima Eficiência), também é praticado na Kodokan. Seus movimentos não só levam ao desenvolvimento físico equilibrado, mas também consistem em um treinamento dos princípios de ataque e de defesa. Escrevi sobre esse assunto detalhadamente no Capítulo 19.

Para que seja realmente efetiva, a educação física deve ser baseada no princípio do uso eficiente das energias mental e física. Estou convencido de que os futuros avanços na educação física vão estar de acordo com esse princípio.

1. "Uso do poder com a máxima eficiência", caligrafia a pincel feita pelo Mestre Kano. "Poder" significa tanto a força física quanto o poder mental.

DOIS MÉTODOS DE TREINAMENTO

Até agora falei de dois aspectos principais no treinamento do judô: o desenvolvimento do corpo e o treinamento das formas de ataque e de defesa. Os treinamentos fundamentais para esses dois propósitos são: 1) o *kata* e 2) o *randori*.

O *kata*, palavra que significa "forma", é um sistema de movimentos preestabelecidos que ensina os fundamentos do ataque e da defesa. O *kata* inclui técnicas para bater, chutar, apunhalar e várias outras, além de usar os movimentos de arremessar e segurar o oponente, que também são praticados no *randori*. Essas técnicas são praticadas apenas no *kata*, porque somente nesse sistema os movimentos são preestabelecidos e cada participante sabe o que o outro fará.

Randori significa "prática livre". Os parceiros se encontram e aproximam-se um do outro como se estivessem em uma verdadeira competição. Eles podem fazer ar-

2. Mulheres treinando *kata* na Kodokan.

remessos, imobilizações, estrangulamentos e também aplicar chaves de juntas, mas não podem golpear ou chutar, ou usar outras técnicas que são apropriadas apenas no combate real. As condições principais do *randori* são: os participantes devem tomar cuidado para não machucar uns aos outros e devem seguir a etiqueta do judô, que é obrigatória para eles obterem o máximo benefício do *randori*.

O *randori* pode ser praticado como treinamento dos métodos de ataque e de defesa ou como educação física. Em ambos os casos, todos os movimentos são feitos de acordo com o princípio da máxima eficiência. Se o objetivo é o treinamento de ataque e de defesa, é suficiente que haja concentração na execução apropriada das técnicas. Mas, além disso, o *randori* é ideal para desenvolver o cuidado com o físico, pois envolve todas as partes do corpo e, diferentemente das ginásticas, todos os seus movimentos têm um propósito e são executados com espírito. O objetivo desse treinamento físico organizado e constante é controlar com perfeição a mente e o corpo e preparar a pessoa para reagir em qualquer emergência ou ataque, acidental ou intencional.

TREINAMENTO DA MENTE

Tanto o *kata* como o *randori* são formas de treinamento mental, mas, dos dois, o *randori* é o mais eficiente.

No *randori*, você deve buscar as fraquezas do oponente e estar pronto para atacar com todos os recursos disponíveis no momento em que encontrar uma brecha, mas sem violar as regras do judô. A prática do *randori* faz com que os alunos fiquem mais interessados, sinceros, cuidadosos, cautelosos e determinados para a ação. Ao mesmo tempo, eles aprendem a analisar, a tomar decisões rápidas e a agir imediatamente, pois, tanto no ataque quanto na defesa, no *randori* não há lugar para a indecisão.

No *randori*, nunca se sabe que técnica o oponente irá usar em seguida, então o praticante fica o tempo todo em guarda. Estar alerta se torna uma segunda natureza. O praticante também adquire boa postura e autoconfiança por saber que é capaz de lidar com qualquer eventualidade. Os poderes de atenção, observação, imaginação, raciocínio e julgamento aumentam, e esses são atributos úteis tanto na vida diária como no *dojo*.

Praticar o *randori* é investigar as relações complexas, mentais e físicas, que existem entre os lutadores. Centenas de valiosas lições são extraídas desse estudo.

No *randori*, aprendemos a usar o princípio da máxima eficiência mesmo quando podemos facilmente vencer o oponente. De fato, é muito mais admirável vencer o oponente com a técnica apropriada do que com a força bruta. Essa lição é útil no dia-a-dia: o aluno percebe que uma persuasão apoiada na lógica firme acaba sendo mais eficiente que o uso da coerção.

Outro princípio do *randori* é aplicar apenas a quantidade certa de força – nunca de mais, nunca de menos. Todos nós conhecemos pessoas que não conseguiram o que queriam porque não utilizaram a quantidade certa do esforço que era necessário. Ou eles não chegaram aonde deveriam, ou não souberam quando parar.

No *randori*, às vezes nos defrontamos com um oponente que está fora de si em seu desejo de vencer. Somos treinados para não resistir diretamente com força, mas a jogar com o oponente até que sua fúria e sua energia fiquem esgotadas, e só então atacamos. Essa lição é útil quando encontramos na vida diária uma pessoa desse tipo. Como nenhum argumento racional funcionará com alguém assim, tudo o que podemos fazer é esperar até que ela se acalme.

Esses são apenas alguns exemplos de como o *randori* pode contribuir no treinamento intelectual das mentes jovens.

TREINAMENTO ÉTICO

Vamos ver agora como a compreensão do princípio da máxima eficiência se transforma em treinamento ético.

Existem pessoas nervosas por natureza e que ficam raivosas por qualquer motivo. O judô pode ajudá-las a se controlar. Através do treinamento, rapidamente elas descobrem que a raiva é um desperdício de energia e que só exerce efeitos negativos sobre elas mesmas e os outros.

O treinamento do judô também é muito benéfico para quem não tem autoconfiança por já ter cometido erros. O judô nos ensina a buscar a melhor atitude a ser tomada, não importando as circunstâncias, e ajuda-nos a compreender que a preocupação é um desperdício de energia. Paradoxalmente, uma pessoa que cometeu um erro e outra no auge do sucesso estão exatamente na mesma posição. Ambas precisam decidir o que farão a seguir, precisam escolher o caminho que devem tomar no futuro. Os ensinamentos do judô dão a todos os indivíduos o mesmo potencial para o sucesso, tirando-os da letargia e do desânimo, e levando-os a um estado de atividade vigorosa.

Outro tipo de pessoa que pode se beneficiar com a prática do judô é o descontente crônico, que imediatamente culpa os outros por suas próprias falhas. Esse tipo

3. Treinamento em um *randori* na Kodokan.

descobre que o estado negativo de sua mente vai contra o princípio da eficiência máxima e que viver de acordo com esse princípio é a chave para atingir um estado mental confiante.

ESTÉTICA

A prática do judô traz muita satisfação: a sensação agradável que os exercícios trazem aos músculos e nervos, a satisfação de aprender a dominar os movimentos e a alegria de vencer as competições. Não menos importante é a beleza e o prazer de ter um desempenho elegante e ver os outros também o tendo. Essa é a essência do aspecto estético do judô.

O JUDÔ FORA DO *DOJO*

As competições no judô seguem o pensamento de que as lições ensinadas nos torneios devem ser aplicadas em treinamentos futuros e também na vida real. Vou falar dos cinco princípios básicos e mostrar resumidamente como eles funcionam.

O primeiro diz que a pessoa deve prestar muita atenção no relacionamento entre ela mesma e o outro. Por exemplo, antes de executar um ataque, ela deve observar o peso, a constituição, os pontos fortes e o temperamento do oponente, e assim por diante. É necessário ainda ela estar consciente de suas próprias forças e fraquezas, e observar de forma crítica o ambiente a sua volta. Quando as competições eram ao ar livre, era necessário inspecionar a área a procura de pedras, valas, muros e outras coisas desse tipo. No *dojo*, devemos ter cuidado com as paredes, as pessoas e outros potenciais obstáculos. Se alguém observa cuidadosamente tudo ao seu redor, perceberá naturalmente a forma correta de derrotar seu oponente.

O segundo ponto é tomar a dianteira. Quem pratica jogos de tabuleiro, como xadrez ou *go* [xadrez oriental], está familiarizado com a estratégia de fazer um movimento que induzirá o outro jogador a fazer determinada jogada. Esse conceito é claramente aplicável tanto ao judô quanto ao nosso cotidiano.

De forma resumida, o terceiro ponto é: considere tudo, aja com decisão. A parte inicial da frase se relaciona ao primeiro ponto de que falamos acima, ou seja, é necessário avaliar cuidadosamente seu adversário antes de executar a técnica. Feito isso, o conselho dado na segunda parte da frase vem naturalmente. Agir com decisão significa agir sem hesitação e sem pensar duas vezes.

Depois de os três primeiros princípios mostrarem como agir, o quarto adverte você sobre quando parar. Isso pode ser dito de maneira bem simples: quando um ponto predeterminado tiver sido alcançado, é hora de parar a aplicação da técnica, ou o que estiver sendo feito.

O quinto e último ponto é a própria essência do judô. Está contido na frase: "Caminhe um único caminho, não ficando nem vaidoso com a vitória nem desanimado com a derrota, sem se esquecer da cautela quando tudo está calmo nem ficando com medo quando o perigo ameaça." Nessa frase está a advertência de que, se deixarmos o sucesso nos conduzir, a derrota inevitavelmente virá, mesmo depois de uma vitória. Também quer dizer que devemos sempre estar preparados para um combate – mesmo imediatamente depois de ter conseguido uma vitória. Não importa se o ambiente a sua volta está calmo ou turbulento, você sempre deve explorar todos os meios que estiverem disponíveis para atingir seu propósito.

O aluno de judô deve manter esses cinco princípios em mente. Ele descobrirá que os benefícios são imensos quando os aplica no trabalho, na escola, no mundo político ou em qualquer outra área da sociedade.

Em resumo, o judô é uma disciplina física e mental, e suas lições podem ser aplicadas na nossa vida diária. O princípio fundamental do judô, que governa todas as técnicas de ataque e de defesa, é que, qualquer que seja o objetivo, ele é mais facilmente alcançado através do uso, com máxima eficiência, da mente e do corpo. O mesmo princípio aplicado em nossas atividades cotidianas leva a uma vida melhor e mais racional.

O treinamento nas técnicas do judô não é a única maneira de se atingir esse princípio universal, mas é como cheguei a compreendê-lo, e é o meio pelo qual eu tento ensinar aos outros.

O princípio da máxima eficiência — se aplicado na arte de ataque e de defesa ou usado para refinar e aperfeiçoar a vida diária — requer que haja, acima de tudo, ordem e harmonia entre as pessoas. E isso só pode ser obtido por meio do auxílio e da compreensão recíprocos. O resultado é o bem-estar e o benefício mútuo. A meta final da prática do judô é ensinar o respeito pelos princípios da eficiência máxima e do bem-estar e benefício mútuo. Através do judô, as pessoas alcançam, individual e coletivamente, seu estado espiritual mais elevado, ao mesmo tempo que desenvolvem seus corpos e aprendem as artes de ataque e de defesa.

3. Pontos Básicos do Treinamento

1. O *dojo* principal do Kodokan International Judo Center, concluído em 1984.

O DOJO

O judô é praticado em uma construção especialmente criada para ele, conhecida pelo nome de *dojo*. A área para a prática não tem cantos ou obstáculos potencialmente perigosos, como pilastras, e em geral suas paredes são revestidas com painéis. O chão da sala é coberto por tatames reforçados, de tamanho e formato semelhantes aos tatames encontrados em residências orientais. Os tatames absorvem o impacto das quedas; e toma-se muito cuidado em sua colocação, sem espaços entre eles, para evitar ferimentos nos pés. Os tatames rasgados devem ser imediatamente consertados ou substituídos.

Quando visitamos um *dojo* pela primeira vez, dá para notar como ele é mantido muito limpo e ficamos impressionados com sua atmosfera solene. Devemos nos lembrar que a palavra *dojo* deriva de um termo budista que faz referência ao "local de iluminação". Como um monastério, o *dojo* é um lugar sagrado que as pessoas procuram para aperfeiçoar seu corpo e sua mente.

As práticas do *randori* e do *kata* são feitas no *dojo*, onde também são realizadas as competições.

2. O *judogi* com a faixa corretamente colocada, visto de frente.

3. O *judogi*, visto de costas.

O JUDOGI

O conjunto composto por blusão, calça e faixa, usado para praticar o judô, é chamado de *judogi*. O blusão e a calça são brancas; a faixa varia de cor, de acordo com o nível de quem a usa.

Os iniciantes, que ainda não tem classificação, usam faixas brancas. Os meninos do terceiro até o primeiro *kyu* (nível) usam faixas roxas; os adultos usam faixas marrons. Aqueles que estão entre o primeiro e o quinto *dan* (grau) usam faixas pretas. Do sexto ao oitavo *dan*, a faixa tem linhas vermelhas e brancas. A partir do nono *dan*, é usada a faixa vermelha. Entretanto, quem está acima de sexto *dan*, se preferir, pode usar apenas a faixa preta. A faixa das mulheres tem uma linha branca no meio.

As fotos 2 e 3 mostram, respectivamente, a frente e as costas do *judogi*.

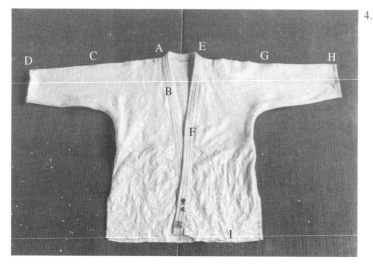

4. Frente do blusão do *judogi*.
   A. Gola do lado direito
   B. Parte da frente da gola, lado direito
   C. Meio da manga, parte externa, lado direito
   D. Parte inferior da manga, lado direito
   E. Gola do lado esquerdo
   F. Parte da frente da gola, lado esquerdo
   G. Meio da manga, parte externa, lado esquerdo
   H. Parte inferior da manga, lado esquerdo
   I. Parte inferior do blusão

5. Costas do blusão do *judogi*
   A. Parte posterior da gola

6. Calça do *judogi*
   A. Faixa
   B. Parte da frente da perna direita
   C. Parte da frente da perna esquerda

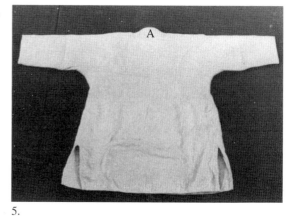

7.

8.

9.

14.

10.

11.

Vestindo o *judogi*
7. Coloque o blusão de modo normal, com a frente esquerda sobre a direita.
8. Estenda o centro da faixa sobre o abdome, na altura da cintura.
9. Passe as pontas pelas suas costas e traga-as de volta para a frente.
10. Comece o nó cruzando uma ponta da faixa sobre a outra.
11. Passe uma das pontas por entre a faixa e o blusão.
12-13. Termine de amarrar o nó.
14. Faça um nó duplo, o mais justo possível.

12.

13.

O JUDOGI 33

15.

16.

17.

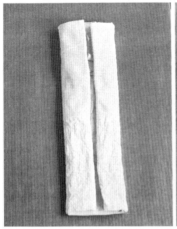
18.

19.

Dobrando o *judogi*
15. Coloque a calça sobre o blusão.
16. Dobre as mangas para dentro.
17-18. Dobre as laterais do blusão e a calça para dentro, e repita a operação.
19. Dobre a parte superior sobre a inferior.
20. A faixa pode ser usada para prender o *judogi* dobrado.

20.

ETIQUETA NO *DOJO*

Antes e depois de praticar o judô ou participar de uma disputa, os oponentes se cumprimentam com uma reverência. Esse cumprimento é uma expressão de gratidão e de respeito. De fato, você está agradecendo ao oponente pela oportunidade de melhorar a sua técnica.

A reverência é feita na posição sentada (*seiza*) ou em pé.

Para fazer a reverência em posição sentada, os oponentes se sentam sobre os joelhos dobrados, um de frente para o outro a um metro e meio de distância, com o peito dos pés tocando o tatame, os joelhos levemente afastados, os quadris descansando sobre os calcanhares e as mãos sobre as coxas (Fig. 21). As mãos são então colocadas sobre o tatame, a uns 10 ou 12 centímetros diante dos joelhos e com as pontas dos dedos levemente viradas para dentro. Faça a reverência a partir da cintura, com a cabeça e o pescoço formando uma linha reta com as costas (Fig. 22).

21.

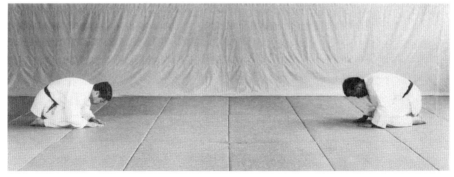

22.

23. A vista posterior mostra como os pés são colocados quando assumimos a posição sentada formal, que é chamada de *seiza*.

24.

25.

26. Alunos de uma classe de meninos da Kodokan, sentados de maneira formal, como parte do treinamento.

Para a reverência em pé, os oponentes param a aproximadamente 2 metros de distância (Fig. 24). Depois se curvam para a frente, a partir da cintura, movendo as mãos da lateral para a frente das pernas, até que seus corpos formem um ângulo de aproximadamente 30 graus (Fig. 25).

A reverência em posição sentada (*seiza*) é a mais formal das duas. É sempre feita antes e depois da prática do *kata*. A reverência em pé é realizada para o instrutor e os membros mais antigos ao entrar e sair do *dojo*. Antes e depois da prática do *randori* podemos fazer a reverência em pé ou uma forma abreviada da reverência em posição sentada em que os dedos e calcanhares ficam levemente levantados.

Dependendo das circunstâncias, os oponentes podem fazer a reverência de uma distância maior, mas devem sempre demonstrar sinceridade.

Em qualquer situação, espera-se que os alunos de judô também ajam de maneira apropriada dentro do *dojo*. O *dojo* não é lugar para conversas fúteis ou mau comportamento. Durante as práticas ou disputas, todos os alunos devem estar presentes e, enquanto descansam, devem observar a prática dos outros; com isso aprendem ainda mais. Não é permitido comer, beber ou fumar no *dojo*, e pede-se aos alunos que o mantenham limpo e em ordem.

A higiene pessoal também é importante. Os alunos devem estar limpos e manter as unhas curtas para evitar machucar os outros. O *judogi* deve ser lavado com regularidade e quaisquer rasgos precisam ser consertados prontamente. Para obter os melhores resultados em seu treino, o praticante deve ter moderação ao comer, beber e dormir.

A IMPORTÂNCIA DA PRÁTICA REGULAR

Às vezes, os alunos cometem o erro de praticar demais ou muito pouco, mas a prática insuficiente é o problema mais comum.

O real valor do judô aparece somente como resultado de uma prática regular. Para conseguir os melhores benefícios físicos, mentais e espirituais do judô, o aluno deve praticar todos os dias, sem falhar. Nos dias em que é impossível treinar no *dojo*, o aluno deve, no mínimo, praticar o *Seiryoku Zen'yo Kokumin Taiiku*.

UMA PALAVRA DE CAUTELA

Nos estágios iniciais do treinamento do judô, os alunos, especialmente os jovens, podem sentir-se tentados a experimentar em pessoas inexperientes as técnicas que aprenderam. Tal atitude é irresponsável e altamente perigosa. Não se deve fazer mau uso das técnicas de judô, pois elas podem causar sérios ferimentos ou até mesmo a morte. E nem precisa dizer que isso é absolutamente contra o espírito do judô. O único momento em que é justificável aplicar as técnicas do judô fora do *dojo* é quando existe um perigo físico imediato.

27. Meninos praticando movimentos básicos na Kodokan.

28-29. A prática das habilidades defensivas é a parte mais básica em qualquer treinamento de judô.

Com um comportamento inadequado, uma pessoa pode se colocar em grave perigo. Se não hesita em experimentar nos outros aquilo que aprendeu, não vai poder reclamar se alguém tentar algo contra ela. Certamente ela acabará se confrontando com pessoas mais fortes, e é impossível prever o que pode acontecer. Dificilmente uma pessoa terá chance de se defender, mesmo contra um agressor mais fraco, se for atacada quando estiver desatenta ou dormindo. Assim, fora do treino, é proibido testar as técnicas que foram aprendidas.

Sobre a insensatez do mau uso do conhecimento adquirido no treino do judô, existe uma antiga história que chegou até nós:

Certo aluno, impaciente para testar as técnicas que aprendera, toda tarde ia até um ponto deserto de uma estrada e lá se deitava, esperando um passante ocasional. Quando alguém aparecia, ele avançava contra a pessoa e aplicava-lhe um arremesso.

Até que um dia as atitudes desse aluno chegaram aos ouvidos de seu professor. Disfarçado, o professor foi certa tarde ao local. O aluno, sem o reconhecer, avançou e atacou, como sempre. O professor deixou que ele o jogasse, e então lentamente se levantou e disse ao aluno que examinasse a lateral do próprio corpo. Percebendo quem era aquele homem, o aluno imediatamente olhou para baixo. Ali, em seu lado direito, viu uma marca de graxa que o professor tinha lhe aplicado enquanto era jogado, mostrando assim que o professor podia facilmente tê-lo matado com um golpe *atemi*. Humilhado por essa experiência, o aluno nunca mais tentou testar suas habilidades contra os inocentes passantes.

II
AS TÉCNICAS

4. Movimentos Básicos

POSTURAS

Shizen Hontai
Postura Natural Básica

1. Na postura básica do judô, você fica em pé naturalmente, com os calcanhares afastados cerca de 30 centímetros e os braços em posição relaxada ao lado do corpo.

Jigo Hontai
Postura Defensiva Básica

3. Fique em pé, com os pés afastados uns 75 centímetros, e dobre os joelhos para abaixar seu centro de gravidade.

Migi/Hidari Shizentai
Postura Natural pela Direita/Esquerda

2. Fique com um dos pés 30 centímetros adiante.

Migi/Hidari Jigotai
Postura Defensiva pela Direita/Esquerda

4. Fique em pé, com um dos pés aproximadamente 70 centímetros adiante, e dobre os joelhos.

A PEGADA BÁSICA

A pegada básica é sempre a mesma, não importando qual a postura. Você deve segurar de maneira bem solta para poder mudar rapidamente a pegada quando for necessário. Se houver perda de tempo na hora de mudar a pegada, o oponente pode tomar vantagem e fazer um contra-ataque. Depois de dominar o uso da pegada básica em todas as projeções, experimente com outras. Talvez você descubra que algumas funcionam melhor que outras em algumas projeções.

5. Usando a pegada básica na postura natural correta.

6. Usando a pegada básica na postura defensiva correta.

7. Segure a gola esquerda do parceiro com sua mão direita, na altura da axila; e, com a mão esquerda, segure a lateral externa da manga direita dele, na altura do cotovelo.

MOVENDO E GIRANDO

O movimento para a frente, para trás e para os lados chama-se *shintai*.

Quando nos movemos em qualquer direção, os pés deslizam pelo tatame com a maior parte do peso sobre o pé da frente, ou sobre o pé que se move primeiro. O estilo natural de caminhar chama-se *ayumi-ashi*. Quando o oponente está perto, a forma mais comum de movimento é conhecida como *tsugi-ashi* (Figs. 8-10). No *tsugi-ashi*, quer você se mova para a frente, para trás, de lado ou em diagonal, um pé sempre lidera e o outro segue. Após cada passo, você deve assumir novamente uma das posturas básicas. Os passos não devem ser muito largos e os pés nunca devem ficar juntos.

Tai-sabaki é como se chama o controle do corpo. Ele envolve principalmente os movimentos giratórios, que devem ser fluidos e rápidos. O corpo deve se mover com leveza e você precisa manter o equilíbrio o tempo todo. Dominar o *tai-sabaki* é indispensável para executarmos de maneira eficiente as técnicas de arremesso. As Figs. 11-15 mostram os cinco tipos básicos.

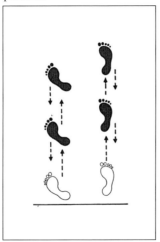

8. *Tsugi-ashi 1*: Para a frente e para trás.

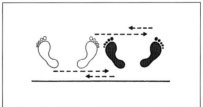

9. *Tsugi-ashi 2*: Para o lado.

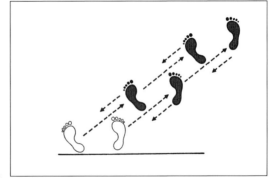

10. *Tsugi-ashi 3*: Em diagonal.

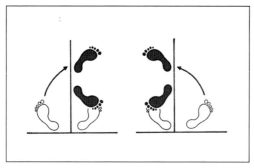

11. *Tai-sabaki 1*: Avance um pé e gire, usando o outro pé como pivô.

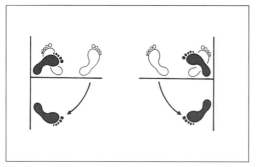

12. *Tai-sabaki 2*: Retroceda um pé e gire, usando o outro pé como pivô.

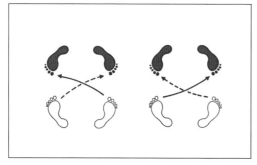

13. *Tai-sabaki 3*: Cruze um pé na frente do outro e gire para trás, para a direção oposta.

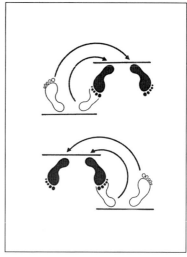

14. *Tai-sabaki 4*: Gire pela frente da sola de um pé e vire para a frente, para a direção oposta.

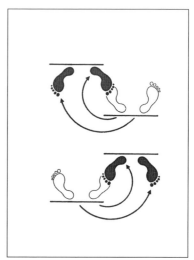

15. *Tai-sabaki 5*: Gire pela frente da sola de um pé e vire de costas, para a direção oposta.

O PRINCÍPIO DA DINÂMICA

As figuras abaixo mostram aquilo que é importante em termos de dinâmica e ensinam algo sobre o centro de gravidade do corpo. Conseguimos os melhores resultados usando a força do oponente. Lembre-se, a serenidade, em vez da simples força, é importante para evitar o endurecimento dos músculos e das juntas. Especialmente em casos de emergência, devemos conservar a força do corpo, para então aplicá-la no momento correto.

16. Uma pessoa está equilibrada se a linha vertical de gravidade passar pelo meio da base formada por suas pernas e quadris. Quando isso não ocorre, ela está desequilibrada e pode ser derrubada com pouco esforço.

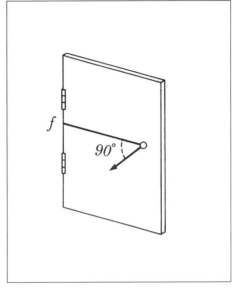

17. É fácil empurrarmos uma porta pesada porque aplicamos pressão no ângulo certo em sua superfície, em um ponto longe do ponto de apoio (f), que é o lado com as dobradiças.

18. Para a frente.

20. Para a esquerda.

19. Para trás.

21. Para a direita.

Kuzushi

Usar a força do modo mais eficiente é fundamental para tirar o equilíbrio do oponente. De acordo com o princípio da dinâmica, ele fica então vulnerável e pode ser derrubado com um mínimo de esforço. O ato de desequilibrar o oponente se chama *kuzushi*. Tendo como referência a postura natural básica, *o kuzushi* tem oito formas, como ilustrado aqui.

A base do *kuzushi* consiste em empurrar e puxar, movimentos que são feitos não só com os braços, mas com todo o corpo. Em geral esses movimentos envolvem mais coisas além de puxar e empurrar. Por exemplo, você também pode puxar e soltar, empurrar e soltar, ou empurrar e depois puxar, ou puxar e depois empurrar. O *kuzushi* pode ser feito tanto em linhas curvas como em retas e em todas as direções. É indispensável você aprender todas as oito formas básicas e usá-las em combinações a fim de efetuar as técnicas fundamentais do judô.

22. Para a diagonal direita à frente.

24. Para a diagonal direita atrás.

23. Para a diagonal esquerda à frente.

25. Para a diagonal esquerda atrás.

Para evitar que seu oponente o desequilibre, você deve ceder e depois aplicar seu próprio *kuzushi*. Quando for empurrado, deixe-se levar pela força do empurrão, mas mantendo seu equilíbrio, e depois puxe. Isso fará com que seu oponente perca o equilíbrio. E quando for puxado, empurre.

26-27. Mestre Kano demonstrando técnicas de judô.

Tsukuri e *Kake*

Para fazer um arremesso (*kake*) após desequilibrar seu oponente, você deve mover o corpo, colocando-se em posição para o arremesso. Isso se chama *tsukuri*. Se seu oponente for mais fraco, mesmo sem um bom *tsukuri* você consegue arremessá-lo, mas pode causar-lhe ferimentos. Porém, com um bom *tsukuri*, você será capaz de arremessar oponentes mais fortes. Portanto, é mais importante que os principiantes aprendam a técnica do *tsukuri*, para depois melhorarem o *kake*. Também é necessário aprender como se manter em prontidão contra o ataque.

Caindo para Trás

28.

30.

29.

31.

A partir de uma posição sentada

28. Sente-se reto, com as pernas para a frente e os braços esticados, na altura dos ombros, e palmas das mãos para baixo.
29-30. Caia para trás, curvando as costas e levantando as pernas.
31. Encolha o queixo contra o peito e bata com força no chão com mãos e braços no momento em que as costas tocarem o tatame. Os braços devem estar em um ângulo de 30 a 45 graus do corpo.
32. Sente-se, abaixando as pernas.
33. Retorne à posição original.

32.

33.

Ukemi

Antes de praticar as técnicas de arremesso ou entrar em um *randori*, é importante dominar bem o *ukemi*, que é a técnica de cair com segurança. Existem quatro formas de *ukemi*: para trás, para um dos lados, para a frente e rolando para a frente.

34.

36.

37.
35.

A partir de uma posição agachada

34. Agache, mantendo os calcanhares elevados e as costas retas.
35. Coloque os braços para a frente.
36. Caia para trás, descendo o quadril bem perto dos calcanhares.
37. Encolha o queixo e bata no tatame com as mãos e os braços.

A coisa mais importante que você deve lembrar é: ao cair, bata com força no tatame com um dos braços ou com ambos, curve as costas e encolha o queixo em direção ao peito, de modo que sua cabeça não bata no tatame. Comece de uma posição baixa e com quedas lentas, e exercite gradualmente até conseguir cair a partir da posição em pé; por fim pratique o *ukemi* quando estiver em movimento ou quando for arremessado.

Depois que você dominar a queda para a frente a partir da posição de joelhos, pratique-a a partir da posição agachada e depois da posição em pé. Pratique também a queda para os cantos frontais direito e esquerdo.

A partir da posição em pé

38. Fique em pé naturalmente, com os pés quase juntos.
39. Estenda os braços para a frente.
40-42. Caia para trás, abaixando os quadris.
43. Encolha o queixo, curve as costas e bata forte com as mãos e braços, deixando as pernas subirem.

UKEMI 51

Caindo para os lados

44.

45.

46.

47.

48.

49.

50.

A partir da posição sentada

44-45. Sente-se reto com as pernas esticadas. Traga o braço direito para o peito, com os dedos estendidos e a palma para baixo.
46-47. Caia em direção à diagonal posterior direita.
48. Encolha o queixo e bata no tatame com o braço e mão direita, deixando as pernas subirem.
49. Abaixe as pernas e sente-se.
50. Retorne para a posição sentada. Repita os movimentos para o lado esquerdo.

51.

52.

53.

54.

55.

56.

A partir da posição agachada

51. Agache com as mãos sobre as coxas.
52-55. Traga o braço direito para o peito. Avance a perna direita para o canto frontal esquerdo.
56. Caia em direção ao canto posterior direito.

UKEMI 53

57.

58.

59.

60.

61.

62.

A partir da posição em pé

57. Fique em pé naturalmente, com os pés próximos e os braços ao lado do corpo.
58. Dê um passo para a diagonal frontal esquerda com o pé esquerdo.
59-62. Avance o pé direito adiante do esquerdo e caia em direção a sua diagonal posterior direita.

Caindo para a frente

63.

64.

65.

66.

67.

68.

69.

70.

71.

A partir da posição de joelhos

63. Ajoelhe-se com os calcanhares elevados.
64. Deixe o corpo cair para a frente. Logo antes que o corpo atinja o tatame, bata no chão com as mãos e os antebraços.
65. Suas mãos devem ficar viradas para dentro, em um ângulo de 45 graus, de modo que seus cotovelos fiquem virados para fora. Seu corpo ficará apoiado nas mãos e dedos dos pés. Para executar a queda para a frente, faça flexões a fim de fortalecer os braços.

A partir da posição agachada

66. Agache com as mãos sobre as coxas.
67. Caia para a frente. Logo antes que o corpo atinja o tatame, bata no chão com as mãos e os antebraços.
68. Seus antebraços devem ficar voltados para fora em um ângulo de 45 graus. Apóie-se nas mãos e dedos dos pés, como se você fosse fazer flexões.

A partir da posição em pé

69. A partir da posição natural em pé, com os pés quase juntos e os braços ao lado do corpo, incline-se para a frente e deixe-se cair.
70. Bata com as mãos e antebraços no chão logo antes que o corpo atinja o tatame.
71. Com os cotovelos para fora, novamente você cai na posição de fazer flexões.

Rolamento para a Frente

A queda para a frente vai protegê-lo em algumas situações, mas se você cair do alto ou for jogado para a frente com força, precisa saber rolar para evitar ferimentos. Primeiro, pratique o rolamento a partir da posição agachada; depois da posição em pé. Quando você já estiver rolando com suavidade, sem machucar os ombros ou bater com as costas, comece a rolar a partir de uma corrida. Finalmente, pratique saltar sobre obstáculos. Alterne rolamentos para a direita e para a esquerda.

72.

73.

74.

75.

76.

77.

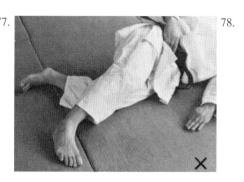
78.

A partir da posição agachada

72. A partir da posição natural básica, avance um passo com o pé direito, curve-se e coloque a mão direita no chão (com os dedos virados para dentro), de modo a formar um triângulo com seus pés. Ponha então a mão direita no chão, entre a mão esquerda e o pé direito. Verifique se os dedos da mão direita apontam para trás, em direção ao meio das pernas, nunca para a frente.

73-75. Dobre o braço direito até formar um arco, encoste o queixo no peito e empurre forte com os pés, rolando através do braço direito, do ombro e das costas, como se formassem uma roda.

76. Quando as pernas descerem, bata no tatame com o braço esquerdo.

77. Não cruze as pernas. É desta forma que elas devem ficar após o rolamento.

78. Posição **incorreta** das pernas após o rolamento.

56 MOVIMENTOS BÁSICOS

A partir da posição em pé

79-84. A partir da postura natural básica, avance um passo com o pé direito e role como você fez a partir da posição de joelhos.

85-87. Após bater com os braços no tatame, use o impulso do movimento para a frente a fim de ficar novamente em pé.

UKEMI 57

Rolamento com Corrida

88. Comece na posição natural básica.
89-92. Corra para a frente e chute com o pé direito. Coloque o braço direito no chão, de 60 a 90 centímetros na frente do pé direito, e faça o rolamento. Não há necessidade de usar o braço esquerdo.
93. Bata no tatame quando as pernas descerem.
94. Continue o rolamento até estar em pé novamente.
95. Você deve terminar em uma postura equilibrada, pronto para qualquer eventualidade.

5. Classificação das Técnicas

Todas as técnicas de judô pertencem a uma das três categorias existentes, e cada categoria contém subdivisões. Essas três categorias são:

Nage-waza   Técnicas de projeção
Katame-waza   Técnicas de agarramento
Atemi-waza   Técnicas de ataques contundentes

A *Nage-waza* compreende as *tachi-waza* (técnicas em pé) e as *sutemi-waza* (técnicas de sacrifício). O uso dos quadris é importante em todas as *tachi-waza*, mas elas são depois classificadas como *te-waza* (técnicas de mão), *koshi-waza* (técnicas de quadril) ou *ashi-waza* (técnicas de pé e perna), dependendo de qual parte do corpo exerce o papel central na execução da técnica. As *sutemi-waza* são chamadas *ma-sutemi-waza* (técnicas de sacrifício supino) ou *yoko-sutemi-waza* (técnicas de sacrifício laterais). No primeiro caso, você fica em uma posição de costas para o tatame; no segundo, fica de lado para o tatame.

A *Katame-waza* se divide em *osae-komi-waza* (técnicas de aprisionamento), *shime-waza* (técnicas de estrangulamento) e *kansetsu-waza* (técnicas de articulações). Às vezes o termo *ne-waza* (técnicas de chão) é usado no lugar de *katame-waza*, o que pode causar confusões, pois não são todos os *katame-waza* que são executados no chão. Alguns agarramentos de estrangulamento e algumas chaves de juntas, por exemplo, podem ser aplicados na posição em pé. Como pode ser confirmado pela terminologia, no agarramento o oponente é segurado, suas articulações são imobilizadas e seus membros são dobrados ou torcidos, ou ele é estrangulado.

A *Atemi-waza* consiste de técnicas para enfraquecer um assaltante, em que você ataca com o punho, a faca da mão, as pontas dos dedos, o cotovelo, o joelho, a planta do pé, os dedos dos pés, o calcanhar, a testa ou a parte de trás da cabeça (ver p. 141). A técnica pode ser usada de várias formas: bater, socar, cortar com a faca da mão, empurrar ou chutar. Elas são divididas em *ude-waza* (golpes com o braço), em que pontos vitais são atacados com a mão ou o braço; e *ashi-ate* (golpes com a perna), em que a perna ou o pé se tornam as armas. Ambos os grupos de técnicas contêm subdivisões, como mostrado na tabela a seguir.

O resultado de sofrermos um contato violento em um ponto vital pode ser dor, perda de consciência, coma, incapacitação ou morte. Por isso, os *ate-waza* são praticados somente no *kata*, **nunca** no *randori*.

Nage-waza

Tachi-waza				
Te-waza	Koshi-waza	\multicolumn{2}{c	}{Ashi-waza}	
Tai-otoshi	Uki-goshi	Hiza-guruma	Kosoto-gari
Seoi-nage	Harai-goshi	Ouchi-gari	Kosoto-gake
Kata-guruma	Tsurikomi-goshi	Osoto-gari	Ashi-guruma
Uki-otoshi	Hane-goshi	Sasae-tsurikomi-ashi	Uchi-mata
Sumi-otoshi	O-goshi	Harai-tsurikomi-ashi	O-guruma
Sukui-nage	Ushiro-goshi	Okuri-ashi-harai	Osoto-guruma
Obi-otoshi	Utsuri-goshi	Deashi-harai	Osoto-otoshi
Seoi-otoshi	Tsuri-goshi	Kouchi-gari	
Yama-arashi	Koshi-guruma		

Sutemi-waza		
Ma-sutemi-waza	\multicolumn{2}{c|}{Yoko-sutemi-waza}	
Tomoe-nage	Uki-waza	Yoko-otoshi
Ura-nage	Yoko-gake	Hane-makikomi
Sumi-gaeshi	Yoko-guruma	Soto-makikomi
Hikkomi-gaeshi	Tani-otoshi	Uchi-makikomi
Tawara-gaeshi	Yoko-wakare	

1. *Ouchi-Gari*. Hitoshi Saito, 6º dan.

Katame-waza

Osae-komi-waza	Shime-waza	Kansetsu-waza
Hon-kesa-gatame	Nami-juji-jime	Ude-garami
Kuzure-kesa-gatame	Kata-juji-jime	Ude-hishigi-juji-gatame
Kata-gatame	Gyaku-juji-jime	Ude-hishigi-ude-gatame
Kami-shiho-gatame	Hadaka-jime	Ude-hishigi-hiza-gatame
Kuzure-kami-shiho- gatame	Okuri-eri-jime	Ude-hishigi-waki-gatame
Yoko-shiho-gatame	Kata-ha-jime	Ude-hishigi-hara-gatame
Tate-shiho-gatame	Katate-jime	Ude-hishigi-ashi-gatame
	Ryote-jime	Ude-hishigi-te-gatame
	Sode-guruma-jime	Ude-hishigi-sankaku-gatame
	Tsukkomi-jime	Ashi-garami
	Sankaku-jime	
	Do-jime	

2. *Kami-shiho-gatame*. Yasuhiro Yamashita, 7º *dan*.

3. Y*oko-shiho-gatame*. Yoshimi Masaki, 6º *dan*.

Atemi-waza

Ude-ate			
Yubisaki-ate	Kobushi-ate	Tegatana-ate	Hiji-ate
Ago-oshi	Tsuki-kake	Naname-uchi	Ushiro-ate
Ryogan-tsuki	(Tsukkake)	Kirioroshi	Ushiro-dori
Suri-age	Tsukiage (Kachi-kake)	Ushiro-dori	
	Yoko-uchi		

Ashi-ate		
Hiza-gashira-ate	Sekito-ate	Kakato-ate
Ryote-dori	Keage	Ushiro-geri
Gyakute-dori	Mae-geri	Yoko-geri
	Ryote-dori	Ashi-fumi

6. Nage-waza

1. *Osoto-gari.* Yasuhiro Yamashita, 7º *dan*.

Os primeiros quarenta *nage-waza* que são apresentados nesse capítulo formam o que é chamado de *Gokyo no waza*, os cinco grupos de instruções. Cada grupo reúne oito técnicas representativas. Temos depois o *Shimmeisho no Waza*, as novas técnicas desenvolvidas após 1920. Para dominar as técnicas, o segredo é aprender os arremessos em ordem. Depois que o ponto principal de uma técnica for compreendido, a habilidade que você desenvolveu poderá ser aplicada nas variações.

Nas descrições a seguir, as técnicas são executadas a partir da postura básica pelo lado direito. Elas podem e devem ser praticadas também pelo lado esquerdo.

Devemos sempre nos lembrar dos nomes tradicionais tori (quem toma) e uke (quem recebe), que indicam respectivamente a pessoa que arremessa e a que é arremessada. Nas descrições, achamos melhor o uso de pronomes "você" e "ele",* mas os termos uke e tori são utilizados com freqüência no dojo.

---

* Note que, nesta tradução para o português, os pronomes possessivos "seu" e "sua" estão sempre relacionados a "você", o leitor. Quando o texto se refere a "ele" (o seu parceiro ou oponente) é sempre usado "dele" e "lhe". (N.R.)

63

Gokyo no Waza: GRUPO 1

Deashi-harai — Movimento de rasteira para a frente

Nesta técnica, você força seu oponente a avançar um passo, depois faz um movimento de rasteira para fora, contra o pé dele.

O *timing* é importantíssimo nesta técnica de arremesso e em todas as outras. Você deve passar a rasteira exatamente no momento em que seu oponente estiver colocando o pé e a maior parte do peso no tatame. (Esse *timing* também se aplica ao movimento de rasteira contra o pé de trás.) Também é importante que você vire seu pé esquerdo o suficiente para pegar o pé do oponente bem embaixo do tornozelo (Fig. 8).

2.

3.

4.

5.

6.

7.

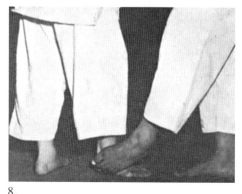
8.

2. Comece na posição natural pelo lado direito.
3. Com o pé direito, recue um passo, maior que o normal, e use todo o seu corpo para puxar o oponente. Ele dará um grande passo com o pé esquerdo.
4. Afrouxe um pouco a pegada e puxe-o em sua direção, com a mão esquerda, para que ele aproxime o pé direito do pé esquerdo.
5. Exatamente quando ele estiver colocando o pé direito no chão, faça um movimento de rasteira com seu pé esquerdo.
6. Enquanto passa a rasteira, puxe-o com força com a mão esquerda.
7. Seu oponente cairá, batendo no tatame com o braço e a mão esquerdos.

Hiza-guruma — Rodar pelo joelho

Após desequilibrar seu oponente para a frente, em direção à diagonal direita dele, coloque seu pé esquerdo no joelho direito dele e arremesse-o por cima.

Tome muito cuidado com a colocação do seu pé direito: não deve ficar nem muito perto nem muito longe de seu oponente. Vire os dedos do pé esquerdo para dentro e coloque-o exatamente ao lado do joelho direito dele (Figs. 16-17). Para arremessar um oponente para a esquerda, mude a pegada da mão direita, que está segurando a gola esquerda dele, para o lado exterior do meio da manga esquerda (Fig. 18).

Talvez os principiantes achem mais fácil recuar um passo com o pé esquerdo e executar o arremesso quando o oponente avançar um passo com o pé direito e assumir a postura defensiva pelo lado direito.

9. 10. 11. 12.

16.

17.

18.

13. 14. 15.

9. Comece na posição natural pelo lado direito.

10. Avance um passo com o pé esquerdo a fim de fazer o oponente recuar um passo com o pé direito.

11. Com cuidado, traga-o para a frente, em direção à diagonal direita dele, puxando e levantando com ambas as mãos.

12-14. Quando seu oponente se desequilibrar, ponha a sola do seu pé esquerdo na lateral do joelho direito dele. Ao mesmo tempo, gire seu corpo para a esquerda e puxe com força com as duas mãos, em uma curva para baixo. O corpo de seu oponente vai girar sobre seu pé esquerdo.

15. Quando ele atingir o tatame, puxe para cima a manga direita dele para aliviar a queda.

Sasae-tsurikomi-ashi
Arremesso com o pé de apoio "levantar e puxar"

Você desequilibra seu oponente para a frente, em direção à diagonal direita dele, e arremessa-o, bloqueando-lhe a perna direita com seu pé esquerdo. A sola do seu pé deve ser colocada logo acima do tornozelo dele (Fig. 29).

Tenha o cuidado de se curvar para trás e girar para a esquerda quando fizer o arremesso, porque o bloqueio e a puxada não serão eficientes se você dobrar a cintura para a frente.

19. Comece na posição natural pelo lado direito.
20. Avance um passo com o pé esquerdo e empurre o oponente com ambas as mãos para que ele recue um passo com o pé direito.
21. Recue um passo com o pé esquerdo, enquanto puxa e levanta o oponente em direção ao canto frontal direito dele.
22. Seu oponente irá para a frente com o pé direito para tentar se equilibrar.
23-24. Antes que ele possa colocar o pé para a frente, ponha a sola de seu pé esquerdo contra a canela direita dele.
25-28. Ao mesmo tempo, gire de volta para a sua esquerda, puxando-o fortemente com a mão esquerda e empurrando-o com a direita.

Uki-goshi — Arremesso flutuante com o quadril

Depois de desequilibrar seu oponente para a frente, em direção à diagonal direita dele, encaixe-o sobre seu quadril e arremesse-o, girando o quadril para a esquerda. Prenda bem o corpo dele com seus braços (Fig. 33).

Esse arremesso difere do *o-goshi*, pois neste caso você não levanta os quadris nem se curva para a frente.

30.

31.

32.

33.

30. Comece na posição natural pelo lado direito. Quando girar para a direita, puxe o oponente com a mão direita para fazê-lo avançar um passo com o pé esquerdo. Desequilibre-o para a diagonal direita dele, puxando-o um pouco com a mão esquerda. Coloque seu braço direito em volta da cintura dele e se aproxime, colocando seu pé direito paralelo ao pé do oponente. Leve para trás seu pé esquerdo e segure o oponente com firmeza contra seu quadril.
31. Gire o quadril.
32. Segure-o pela manga quando ele cair.

GOKYO NO WAZA: GRUPO 1

Osoto-gari — Grande rasteira externa

Você desequilibra seu oponente para trás, em direção à diagonal direita dele, fazendo com que ele transfira todo o peso para o calcanhar direito, e então lhe puxa a perna direita com a sua perna direita.

Você deve dar um passo grande com o pé direito, para usar melhor a energia na hora de puxar a perna dele (Fig. 41).

34. Comece na posição natural pelo lado direito.
35. Faça com que o oponente avance um passo com o pé direito, puxando-o de leve em direção à diagonal direita dele. Coloque seu pé esquerdo pelo lado de fora do pé direito dele, a fim de desequilibrá-lo para trás, em direção à diagonal direita, puxando-o em sua direção, com a mão esquerda, e empurrando-o para trás, com a mão direita.
36. Levante um pouco a perna direita e passe-a pela perna direita do oponente.
37. Com as suas coxas, prenda firmemente a coxa dele por trás.
38-39. Ao mesmo tempo, abaixe-o com força com sua mão esquerda e empurre-o para trás em direção à diagonal direita dele, usando sua mão direita.
40. As pernas dele voarão e ele cairá diretamente de costas.

O-goshi — Grande arremesso com o quadril

Para executar o *o-goshi*, você desequilibra o parceiro diretamente para a frente ou para a diagonal direita dele, prende-o ao lado direito do seu quadril, e depois levanta o quadril e gira para fazer o arremesso.

Esse arremesso é diferente do *uki-goshi* porque você encaixa seu quadril embaixo do oponente e levanta-o, fazendo o arremesso.

A partir da posição natural pelo lado direito é difícil colocar seu braço direito em volta do oponente porque ele estará segurando sua manga direita. Solte a lateral esquerda da gola dele e passe sua mão direita por baixo do braço esquerdo dele, subindo até a altura do cotovelo, e por fim sob a axila. Isso fará com que o cotovelo dele trave e ele solte a pegada; nesse ponto você pode colocar seu braço direito em volta da cintura dele (Fig. 49).

42. Comece com a postura defensiva pelo lado direito. Puxe seu oponente com a mão direita para que ele avance um passo com o pé esquerdo.
43. Rapidamente passe seu braço direito pela cintura dele e puxe-o em direção ao seu quadril direito, quebrando-lhe o equilíbrio pela frente.
44. Gire, colocando seu pé direito adiante e paralelo ao pé direito dele e seu pé esquerdo logo adiante do pé esquerdo dele.
45. Dobre os joelhos e puxe o oponente com firmeza contra a lateral direita de seu quadril. Levante o oponente, desdobrando seus joelhos.
46. Ao mesmo tempo, puxe-o com o braço esquerdo e gire para a esquerda.
47-48. Ele virará sobre seu quadril e cairá de costas na sua frente.

Ouchi-gari — Grande rasteira por dentro

Após desequilibrar seu oponente em direção à diagonal posterior esquerda dele, passe-lhe uma rasteira por dentro da perna esquerda com sua perna direita, de modo que ele caia para trás.

Certifique-se de girar os quadris para a esquerda quando atacar, a fim de encaixar seu calcanhar direito primeiro, com os dedos do pé voltados para dentro, e faça um grande movimento com a finalidade de puxar as pernas dele para a direita (Fig. 57).

50.

51.

52.

53.

54.

55.

56.

57.

50-51. Comece com a postura natural pelo lado direito. Avance um pequeno passo com o pé esquerdo, levante e leve um pouco para trás o pé direito, e, com a mão direita, puxe o oponente em direção à diagonal esquerda dele.

52. Ele vai avançar o pé esquerdo.

53-54. Logo antes de ele colocar o pé no chão, deslize sua perna direita por trás da perna esquerda dele, pondo a parte posterior do seu joelho contra a parte posterior do joelho dele.

55. Prenda-lhe a perna, formando um grande arco para trás, em direção à sua diagonal direita.

56. Com as duas mãos, empurre o oponente diretamente para baixo.

Seoi-nage — Arremesso pelo ombro e braço

Você desequilibra seu oponente diretamente para a frente ou para a diagonal direita dele, coloca-o em suas costas e joga-o por cima de seu ombro.

Enquanto puxa o oponente sobre suas costas, usando seu braço esquerdo, o direito naturalmente vai dobrar-se. O braço direito do seu oponente deve cobrir seu cotovelo.

Uma variação desta técnica é chamada de *ippon-seoi-nage* (arremesso usando um braço e o ombro). Sua mão esquerda segura o lado interno da manga direita de seu oponente. À medida que gira, deslize seu braço direito sob a axila direita dele e segure a parte superior da manga ou o ombro dele. O resto da técnica segue a mesma execução (Fig. 67).

58. Comece com a postura natural pelo lado direito.
59. Avance um passo com o pé esquerdo e empurre com ambas as mãos para que seu oponente recue um passo com o pé direito.
60. Depois avance um passo com o pé direito e empurre-o para que ele recue um passo com o pé esquerdo.
61. O propósito do empurrão é fazer com que seu oponente empurre de volta. Quando ele empurrá-lo e começar a avançar um passo com o pé esquerdo, dê um passo para trás, maior que o dele, com seu pé direito, a fim de desequilibrá-lo para a frente.
62. Gire para a esquerda e coloque o pé direito na frente e paralelo ao pé direito dele.
63. Abaixe o corpo, dobrando os joelhos, e coloque o pé esquerdo na frente do dele. Dobre o cotovelo direito e coloque-o sob a axila direita do oponente.
64. Puxe-o para perto de você e estenda suas pernas.
65. Depois curve o corpo para a frente e empurre para baixo com as duas mãos.
66. Seu oponente voará sobre seu ombro direito e cairá na sua frente.

GOKYO NO WAZA: GRUPO 1

Gokyo no Waza: GRUPO 2

Kosoto-Gari — Pequena rasteira por fora

Primeiro você desequilibra seu oponente para trás, em direção à diagonal direita dele, depois puxa por trás o pé direito dele com seu pé esquerdo e arremessa-o para trás.

Certifique-se de colocar seu pé direito em ângulo reto com o pé direito do oponente (Fig. 75). O ideal seria a sola de seu pé esquerdo tocar de leve o tatame, enquanto você passa a rasteira, e seu dedão do pé estar levantado, mas você pode girar o pé e passar a rasteira com a sola.

68.

69.

70.

71.

72.

73.

74.

75.

68. Estando na postura natural pelo lado direito, puxe um pouco seu oponente para a frente com as duas mãos. Para se reequilibrar, ele puxará para trás.

69. Com ambas as mãos, desequilibre-o para trás, em direção à diagonal direita dele, de modo que ele coloque o peso nos calcanhares.

70. Avance um passo em direção à lateral direita dele, com seu pé esquerdo, e depois com o direito, de modo a ficar em ângulo reto em relação a ele.

71. Com seu pé esquerdo, imobilize o pé direito dele, desde os dedos, e prenda-o logo acima do calcanhar.

72-73. Ao mesmo tempo, empurre o oponente para baixo com sua mão esquerda, e para cima e para trás com a mão direita.

74. Ele deve cair de costas aos seus pés.

Kouchi-gari   **Pequena rasteira por dentro**

Após desequilibrar seu oponente para trás, em direção à diagonal direita dele, você passa-lhe uma rasteira no pé direito, pelo lado de dentro e com seu pé direito, e arremessa-o para baixo.

Escolher o momento certo é fundamental. Passe a rasteira no momento exato em que ele estiver colocando o peso naquele pé. Como acontece no *kosoto-gari*, o ideal é você tocar de leve o tatame com a sola de seu pé direito e passar a rasteira com o dedão do pé levantado. Em todo caso, empurre o pé do oponente para a frente, não para cima, com a lateral externa de seu pé arrastando no tatame (Fig. 83).

76.   77.   78.   79.   80.

80.

81.   82.

76. Na postura natural pelo lado direito, empurre um pouco seu oponente para trás, em direção à diagonal esquerda dele.
77. Quando ele empurrar de volta, puxe-o com seu braço esquerdo, trazendo seu pé esquerdo por trás do pé direito dele.
78. Puxe, usando todo o seu corpo para fazê-lo avançar com o pé direito.
79. Logo antes de ele abaixar o pé, mude seu peso para o pé esquerdo e prenda o calcanhar direito dele por dentro, usando seu pé direito.
80. Faça com que o pé dele se mova na direção em que os dedos apontam.
81. Ao mesmo tempo, empurre-o para baixo e para trás com ambas as mãos.
82. Quando o arremesso é bem feito, as pernas de seu oponente voam no ar, passando pelos dois lados do seu corpo.

Koshi-guruma — Giro pelo quadril

Ao desequilibrar seu oponente para a frente ou em direção à diagonal direita dele, coloque seu quadril direito firmemente contra o dele e arremesse-o.

Sua mão esquerda deve puxá-lo com força e de maneira contínua. Pelo menos metade de seu quadril direito deve ficar sob o lado direito de seu oponente (Fig.92).

84.   85.   86.   87.   88.

89.   90.   91.   92.

84. A partir da postura natural pelo lado direito, recue um passo com o pé direito para fazer seu oponente trazer o pé esquerdo para a frente.
85. Empurre de leve com ambas as mãos até que o peso dele esteja sobre os dedos.
86. Coloque seu pé direito perto do dele e deslize seu braço direito em volta do pescoço ou do ombro do oponente.

87. Girando sempre, leve seu pé esquerdo para trás até que o seu quadril direito esteja contra o lado esquerdo do abdome dele. Encaixe bem o seu quadril.
88-90. Enquanto eleva o quadril e puxa o oponente para a frente com ambas as mãos, gire em direção ao seu canto frontal esquerdo.
91. Seu oponente passará sobre seus quadris e cairá na sua frente.

Tsurikomi-goshi — Arremesso com o quadril, levantando e puxando

Quando desequilibrar o oponente para a frente ou em direção à diagonal direita dele, abaixe seu quadril até a altura das coxas dele, e então, levantando o quadril e puxando o oponente com as duas mãos, arremesse-o por cima de seu quadril.

Uma variação deste arremesso é chamada de *sode-tsurikomi-goshi* (arremesso com o quadril com levantamento e puxão pela manga). A diferença é que sua mão direita segura a lateral externa da manga esquerda do oponente, ou o punho, em vez da gola (Figs. 101-2).

93. A partir da postura natural pelo lado direito, recue um passo com o pé direito. Quando o oponente avançar com o pé esquerdo, desequilibre-o para a frente.

94. Desequilibre-o para a frente, em direção à diagonal direita dele, levantando e puxando com ambas as mãos. Ao mesmo tempo, coloque o pé direito entre os pés dele.

95. Passe seu cotovelo direito sob a axila esquerda dele e gire para a sua esquerda. Seus pés devem apontar para a mesma direção que os dele.

96. Abaixe os quadris e coloque-os contra a parte dianteira da coxa direita dele.

97. À medida que você coloca o oponente sobre seu quadril direito, estique as pernas e empurre o quadril para trás.

98. Com as duas mãos, puxe com força o oponente para baixo.

99-100. Ele vai girar sobre seu quadril e cair de costas na sua frente.

GOKYO NO WAZA: GRUPO 2

Okuri-ashi-harai   **Rasteira com o pé**

Você desequilibra o oponente para a lateral direita dele e, com seu pé esquerdo, passa-lhe uma rasteira no pé direito, em direção à esquerda dele.

Para que a técnica funcione, você deve manter-se solto e mover-se suavemente. Ponha a sola de seu pé o mais perto possível do tornozelo dele e passe a rasteira no momento em que ele estiver mudando o peso para o pé esquerdo (Fig. 111). Certifique-se de usar toda a sua perna, não apenas o pé. Passe a rasteira na direção em que o pé do oponente está se movendo.

103. Comece na postura natural do lado direito.
104. Seu oponente recua um passo, para a diagonal esquerda dele. Avance um passo em direção a sua diagonal direita.
105. Quando ele mover o pé direito para a esquerda, persiga-o com seu pé esquerdo.
106. Logo antes de ele colocar o peso sobre esse pé, passe a rasteira com a sola de seu pé esquerdo na direção em que ele está se movendo.
107. Ao mesmo tempo, levante o oponente com sua mão direita e empurre-o com a esquerda.
108-110. As pernas do oponente sairão voando debaixo dele e ele cairá de costas.

Tai-otoshi — Queda de corpo

Tendo desequilibrado seu oponente para o lado direito ou para a frente, em direção à diagonal direita dele, coloque seu pé direito próximo ao pé direito dele e arremesse-o sobre seu pé, para a frente e em direção à sua diagonal direita, usando as duas mãos.

Tome cuidado para não colocar seu pé direito muito longe do pé do oponente (Fig.119). Sua mão direita deve empurrar na direção em que ele está caindo, e não puxar.

112.   113.   114.   115.

116.   117.   118.

119.

112. Comece na postura natural pelo lado direito.
113. Recue um pequeno passo com o pé direito e puxe seu oponente para a frente, depois o desequilibre em direção à diagonal direita dele, puxando-o e levantando-o.
114. Rapidamente recue um passo com o pé esquerdo e coloque o pé direito próximo ao pé direito dele.
115. Puxe-o para a frente e para baixo com a mão esquerda, enquanto empurra com a direita na direção do movimento dele.
116-18. Seu oponente cairá sobre seus pés, em um grande círculo, e aterrissará diante de você, à direita.

Harai-goshi — Rasteira usando o quadril

Você desequilibra seu oponente para a frente, em direção à diagonal direita dele, gira e puxa-o para você, depois passa a rasteira na altura da coxa direita dele com a sua coxa direita.

Esta técnica foi criada para ser usada como meio de arremessar um oponente que desliza próximo ao seu quadril quando você tenta aplicar-lhe o *uki-goshi*.

120. Comece na postura natural pelo lado direito.
121. Recue com o pé esquerdo e desequilibre o oponente, puxando-o e levantando-o com as duas mãos. Gire seu pé esquerdo e pare-o em frente ao pé esquerdo dele.
122. Ao mesmo tempo, continue puxando com ambas as mãos até que o peito e o abdome dele entrem em contato com seu tronco.
123. Ponha sua perna direita próximo à perna direita dele e passe a rasteira, para cima e para fora, contra a coxa dele, usando a parte posterior da sua coxa.
124. Gire para a esquerda e puxe com força, para a frente e para baixo, com ambas as mãos.
125-26. Seu oponente cairá de costas na sua frente.

Uchi-mata — Arremesso levantando por entre as pernas

Após desequilibrar seu oponente para a frente ou para a diagonal direita dele, você passa-lhe uma rasteira contra a parte interna da coxa esquerda, usando a parte posterior de sua coxa direita. Execute o arremesso logo que o oponente estiver mudando o peso para o pé esquerdo.

Na variação em que você desliza a sua perna esquerda entre as pernas do oponente, o seu pé esquerdo deve apontar para a mesma direção que o pé direito dele (Fig. 136).

127.

128.

129.

130.

131.

132.

133.

134.

135.

136.

127. Comece na postura natural pelo lado direito, com a mão direita um pouco mais alta que o usual.
128. Puxe o oponente com a mão direita e, quando ele começar a avançar um passo com o pé esquerdo, mova seu pé esquerdo para a frente, em direção à sua diagonal esquerda, e recue um pequeno passo com o pé direito.
129. Com a mão direita, puxe-o, formando um grande círculo, em direção a sua diagonal posterior direita.
130. Ele moverá o pé esquerdo para o canto frontal esquerdo dele e se curvará.
131. Logo antes de ele colocar o pé esquerdo no chão, dê um pequeno passo com o pé esquerdo.
132. Passe uma rasteira, usando sua coxa direita contra a parte interna da coxa esquerda dele.
133. Puxe-o para seu lado esquerdo com a mão esquerda e empurre-o nessa direção com a mão direita.
134-35. Quando você gira para cima sua coxa, esse movimento levanta o oponente, enquanto a ação das mãos faz com que ele role e caia de costas.

GOKYO NO WAZA: GRUPO 2   79

Gokyo no Waza: GRUPO 3

Kosoto-gake — Pequeno gancho por fora

Você desequilibra seu oponente para a diagonal posterior direita dele, engancha-lhe o tornozelo direito com seu pé esquerdo e joga-o para trás.

O movimento de suas mãos deve ser suave, contínuo e coordenado com seus movimentos de quadris e pés. Se dobrar um pouco sua perna esquerda antes de colocar o pé no tornozelo do oponente, você consegue pôr mais força no arremesso (Fig. 146).

Esta técnica se desenvolveu como uma variação do *kosoto-gari*, mas agora é considerada uma técnica independente.

137.   138.   139.   140.

141.   142.   143.   144.

145.   146.

137. Comece na postura natural pelo lado direito.
138. Recue um passo com o pé direito e puxe o oponente com as duas mãos.
139. Ele deve vir para a frente com o pé esquerdo, e depois dar um passo grande com o pé direito.
140. Desequilibre-o para a diagonal posterior direita dele, empurrando-o com a mão direita, que deve estar segurando a lateral esquerda da gola dele, e empurre-o para trás e para baixo com a sua esquerda.
141. Coloque o peito de seu pé esquerdo pelo lado de fora do tornozelo e do calcanhar dele.
142. Enganche o oponente ou dê-lhe uma rasteira, como se fosse levantá-lo.
143. Continue empurrando-o para baixo e para trás com suas mãos.
144-45. Seu oponente cairá em direção à diagonal posterior esquerda dele.

Tsuri-goshi — Arremesso levantando com o quadril pela faixa

Após desequilibrar seu oponente para a frente, segure a faixa dele por trás, com sua mão direita, puxe-o contra seu quadril e arremesse-o para a frente com um giro.

Existem duas formas de *tsuri-goshi*, conhecidas como *kotsuri-goshi* (pequeno arremesso de quadril) e *otsuri-goshi* (grande arremesso de quadril). Na primeira, que é mais indicada para as pessoas baixas, a mão direita é passada por baixo da axila esquerda do oponente, enquanto na segunda, que é mais indicada para as pessoas grandes, o braço direito passa por cima do braço esquerdo do oponente (Fig. 156). É o *kotsuri-goshi* que está ilustrado aqui.

147.

148.

149.

150.

151.

152.

153.

154.

155.

156.

147. Estando na postura natural pelo lado direito, recue um meio passo com o pé direito, de modo que o oponente avance com o pé esquerdo.
148. Enquanto o desequilibra para a frente, passe sua mão direita pela axila esquerda dele e segure-lhe a parte posterior da faixa.
149. Gire e coloque seu pé direito pelo lado de dentro do pé direito dele, em paralelo, e traga seu pé esquerdo por fora do dele.
150. Dobre seus joelhos e puxe o oponente com força contra seu corpo, levantando-o com ambas as mãos.
151. Levante-o sobre seu quadril.
152. Enquanto levanta o corpo dele com sua mão direita, endireite os joelhos e gire o quadril.
153. Ao mesmo tempo, empurre-o com força para baixo com a mão esquerda.
154-55. O oponente cairá a seus pés.

Yoko-otoshi — Técnica de queda lateral (sacrifício)

Desequilibre o oponente para o lado direito dele, coloque seu pé esquerdo pelo lado de fora do pé direito dele e arremesse-o para sua esquerda, fazendo-o cair para seu lado esquerdo. Esta técnica pode ser praticada sem um parceiro (Fig. 163).

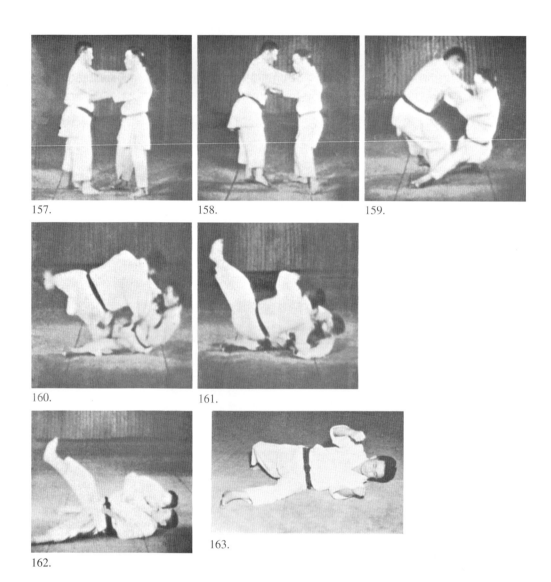

157. Comece na postura natural pelo lado direito.
158. Dê um passo para a direita e tente desequilibrar o oponente para o lado esquerdo dele.
159. Ele resistirá, mudando o peso para a direita. Desequilibre-o para a direita dele.
160. Coloque seu pé esquerdo pelo lado de fora do tornozelo direito dele e caia para a sua esquerda.
161. Ao cair, empurre-o para a sua esquerda com ambas as mãos.
162. Seu oponente cairá quase paralelamente a você.

Ashi-guruma — Giro através da perna

Após desequilibrar seu oponente para o canto frontal direito dele, você gira e estende a perna direita contra o joelho direito dele e joga-o sobre sua perna em um grande círculo.

Este arremesso se parece com o *hiza-guruma*, porque nele também se coloca a perna acima do joelho do oponente (Fig. 172).

164.

165.

166.

167.

168.

169.

170.

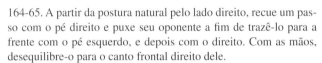
172.

164-65. A partir da postura natural pelo lado direito, recue um passo com o pé direito e puxe seu oponente a fim de trazê-lo para a frente com o pé esquerdo, e depois com o direito. Com as mãos, desequilibre-o para o canto frontal direito dele.

166. Passe o pé esquerdo por trás e gire para a esquerda. Coloque a perna direita contra a perna do oponente e faça pressão contra o joelho direito dele, com seu tornozelo se estendendo um pouco além do joelho dele.

167. Puxe-o para perto de você com ambas as mãos e gire para a esquerda.

168-71. O corpo dele vai fazer uma rotação sobre a sua perna.

171.

GOKYO NO WAZA: GRUPO 3

Hane-goshi — Levantamento com o quadril e perna

Você desequilibra seu oponente para o canto frontal direito dele, puxa-o em direção ao seu quadril direito e arremessa-o com um levantamento de quadris e perna, combinado com um empurrão para baixo com ambas as mãos.

Para que a técnica funcione bem, os movimentos de seus quadris, pernas e mãos devem estar bem coordenados. Certifique-se de que seu joelho direito se projeta próximo à perna direita do oponente, de modo que sua perna, quadril e peito estejam totalmente em contato com a frente do corpo dele.

173. A partir da postura natural pelo lado direito, desequilibre seu oponente para o canto frontal direito dele.
174. Leve seu pé esquerdo para trás de você.
175. Ao mesmo tempo, dobre seu joelho direito e coloque a perna contra a lateral interna da perna direita do oponente.
176. Com ambas as mãos, puxe-o e coloque-o sobre seu quadril.
177. Desdobre a perna esquerda e erga-o do chão com um levantamento de seu quadril e de sua perna direita.
178. Gire para a esquerda e, com ambas as mãos, puxe com força o oponente para baixo.
179-80. Ele deve girar sobre seu quadril direito e cair a seus pés.

Harai-tsurikomi-ashi   Rasteira com o pé, levantando e empurrando

Após desequilibrar seu oponente para a diagonal frontal esquerda dele, você passa-lhe uma rasteira no tornozelo esquerdo com seu pé direito, arremessando-o para a esquerda dele. Para evitar que o movimento seja muito alto, use o lado externo de seu pé, raspando-o no chão (Fig. 189).

Uma maneira mais simples de fazer o *harai-tsurikomi-ashi*, a partir da postura natural do lado direito, é avançar um passo com seu pé esquerdo, rapidamente aproximar o direito e passar a rasteira contra o pé direito do oponente quando ele puxar esse pé. Os principiantes devem praticar antes a versão simplificada.

181. A partir da postura natural pelo lado direito, avance um passo com o pé esquerdo para fazer o oponente recuar um passo com o direito.
182. Desequilibre-o para o canto frontal esquerdo dele, levantando-o e puxando-o (*tsurikomi*).
183. Mova seu pé esquerdo para perto do pé direito dele.
184. Estenda a perna direita e, com a sola do pé, passe uma rasteira pelo lado externo do tornozelo esquerdo do oponente ou faça com que ele se afaste.

185. Ao mesmo tempo, gire para a direita a parte superior do seu corpo e puxe o oponente com força, na direção de sua axila direita e usando a mão direita, que deve estar segurando o lado esquerdo da gola dele.
186. Empurre-o para cima e para a sua direita, usando a mão esquerda.
187-88. Seu oponente deve cair, em um grande círculo, para a esquerda.

Tomoe-nage — Arremesso circular de sacrifício frontal

Neste arremesso, você faz seu oponente colocar-se nas pontas dos pés, cair para trás, enquanto você coloca seu pé direito na parte inferior do abdome dele, e joga-o para trás, sobre a sua cabeça.

É importante que seu pé esquerdo esteja firme no chão quando você o desliza entre as pernas do oponente. Seu joelho direito deve estar dobrado e os dedos dos pés curvados para dentro quando colocar o pé no abdome dele. O arremesso é feito pela ação conjunta de mãos e perna direita, assim é preciso que você mantenha uma puxada constante, primeiro para fora, depois para dentro (Fig. 198).

190.

191.

192.

193.

194.

195.

196.

197.

198.

190. Comece na postura natural pelo lado direito.
191. Avance um passo com seu pé esquerdo e empurre seu oponente com força, diretamente para baixo. Ele vai empurrar de volta e ir para a frente com o pé direito. Mova sua mão esquerda para o lado direito da gola dele.
192. Puxe-o com ambas as mãos para que ele fique na ponta dos pés, passe seu pé esquerdo entre as pernas dele, dobre o joelho esquerdo e caia para trás, descendo seu quadril o mais perto possível de seu calcanhar esquerdo.
193. Ao mesmo tempo, dobre o joelho direito e, com cuidado, coloque a sola do pé direito na parte inferior do abdome dele.
194. Empurre-lhe o corpo, esticando sua perna direita, e puxe-o com ambas as mãos.
195-97. Seu oponente voará sobre sua cabeça e cairá no chão a alguma distância de você.

Kata-guruma — Giro pelo ombro

Após desequilibrar seu oponente para a frente, em direção à diagonal direita dele, levante-o sobre seus ombros e jogue-o no chão. Com o pé direito, dê um passo, o mais largo possível. A parte posterior da sua cabeça deve estar no lado direito da faixa do oponente (Fig. 208).

199.

200.

201.

202.

203.

204.

205.

206.

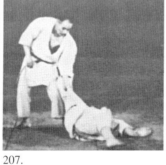
207.

208.

199. A partir da postura natural pelo lado direito, recue um passo com o pé esquerdo e puxe seu oponente para a frente com ambas as mãos.

200. Quando ele avançar um passo com o pé direito, segure-lhe por dentro a parte mediana da manga direita com sua mão esquerda e desequilibre-o para o canto frontal direito dele.

201. Dobre seus joelhos e, com o corpo abaixado, dê um passo com o pé direito.

202. Ao fazer isso, passe o braço direito pela coxa direita do oponente e coloque-o sobre seu ombro direito.

203. Puxe sua mão esquerda para baixo, em direção ao peito, e se estique.

204. O peso de seu oponente vai ficar bem distribuído em seus ombros.

205-07. Jogue-o no chão à sua esquerda.

Gokyo no Waza: GRUPO 4

Sumi-gaeshi

Arremesso para a diagonal
(Técnica de sacrifício)

Após desequilibrar seu oponente para a frente, em direção à diagonal direita dele, você cai para trás, coloca a parte interna de seu pé direito atrás do joelho esquerdo dele ou na coxa, e arremessa-o para cima, sobre sua cabeça.

A força desta técnica pode ser aumentada se você levantar sua perna direita no momento em que cai, não após suas costas baterem no tatame (Fig. 216).

209.

210.

211.

212.

213.

214.

215.

216.

209. Comece na postura defensiva pelo lado direito, com seu braço direito e o braço direito do oponente passando pelas axilas esquerdas um do outro. Sua mão direita deve estar o mais alto possível na lateral superior esquerda das costas dele. Segure-lhe com firmeza o braço direito contra seu corpo.

210. Puxe o oponente em direção à diagonal frontal esquerda dele, para que ele avance um passo com o pé esquerdo, depois com o direito.

211. Assim que ele for para a frente com o pé direito, avance seu pé esquerdo e desequilibre-o em direção à diagonal frontal direita dele. Caia de costas diretamente sob ele.

212. Ao mesmo tempo, coloque a parte interna de seu pé direito atrás do joelho esquerdo dele ou na parte interna da coxa, e arremesse-o para cima, sobre você.

213. Puxe-o com a mão esquerda e empurre-o com a direita.

214-15. Seu oponente deve rolar sobre o ombro direito até ficar de costas.

88 NAGE-WAZA

Tani-otoshi   Queda do vale

Você desequilibra seu oponente para trás, em direção à diagonal direita dele, passa seu pé esquerdo próximo ao lado externo do pé direito dele e arremessa-o para trás, na diagonal direita dele.

A diferença entre o *tani-otoshi* e o *yoko-otoshi* é que você joga seu oponente em diagonal para trás, não para um dos lados (Figs. 223-26).

217. A partir da postura natural do lado direito, tente desequilibrar o oponente para a frente, na diagonal direita dele. Ele puxa então a perna esquerda para trás.
218. Avance seu pé esquerdo e desequilibre-o para a diagonal posterior direita dele.
219. Passe seu pé esquerdo por fora do pé direito dele.
220. Com sua mão direita, levante-o e empurre-o sob a axila. Puxe-o com a mão esquerda e gire a parte superior do seu corpo para a esquerda. Caia para seu canto frontal esquerdo.
221-22. Com a perna direita bloqueada, seu oponente cairá em direção à diagonal posterior direita dele.

Nota: Na forma básica desta técnica, o oponente é jogado diretamente para trás.

GOKYO NO WAZA: GRUPO 4   89

Hane-makikomi   **Arremesso para cima, segurando em volta**

Esta técnica é uma combinação de *hane-goshi* e *soto-makikomi*. Você desequilibra seu oponente para o canto frontal direito dele e, enquanto executa o *hane-goshi*, segura-lhe o corpo contra o seu e cai no chão.

Ao passar do *hane-goshi* para o *makikomi*, normalmente o *tori* solta a mão direita e prende o braço direito do oponente sob sua axila direita (Fig. 233).

227.

228.

229.

230.

231.

232.

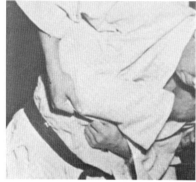
233.

227. Na postura natural pelo lado direito, desequilibre seu oponente para o canto frontal direito dele, levantando-o e puxando-o com ambas as mãos.
228. Leve seu pé esquerdo para trás, dobre o joelho direito e puxe o oponente contra a lateral de seu corpo.
229. Libere sua mão direita, mas continue puxando com a esquerda.
230. Gire para a esquerda e caia sobre seu lado direito.
231-32. O oponente, que está preso ao seu corpo, cairá com você.

Sukui-nage — Arremesso levantando as duas pernas e jogando para trás

Após desequilibrar seu oponente em direção ao canto frontal esquerdo dele, levante-o em seus braços e jogue-o para trás, a sua direita.

Um bom momento para aplicar este arremesso em competições é quando você avança para segurar seu oponente, depois de ter se afastado dele. Para impedir que ele bloqueie o arremesso, você deve executar o movimento por sua própria iniciativa, antes que ele tenha chance de segurar você.

234. 235. 236. 237.

238. 239. 240. 241.

234. Você está na postura natural pelo lado direito e seu oponente avança um passo com o pé direito, depois com o esquerdo.
235. Desequilibre-o para trás, na diagonal esquerda dele.
236. Com seu pé direito, dê um passo para trás dele.
237. Passe sua mão direita em volta da cintura dele pela frente e, com sua mão esquerda, segure-lhe a perna esquerda por trás.
238. Levante-o na frente de seu quadril direito.
239-41. Sem olhar para trás, derrube-o para a sua retaguarda.

Utsuri-goshi — Mudança do quadril

Este arremesso é um *go no sen no waza*, um contra-arremesso. É usado para contra-atacar quando o oponente executa uma técnica de quadris. Após bloquear o arremesso dele, dobrando seus joelhos, você o coloca sobre seus quadris e o arremessa, torcendo os quadris, como no *o-goshi*.

Para fazer o oponente girar por cima, mude a pegada da sua mão direita para a parte interna do meio da manga esquerda dele. O arremesso também pode ser executado com um simples passo pela frente do oponente com seu pé esquerdo, depois o colocando sobre seu quadril esquerdo.

242.

243.

244.

245.

246.

247.

248.

242. Comece na postura natural pelo lado direito.
243. Seu oponente tenta um *hane-goshi* pelo lado direito. Quando ele entra, abaixe seus quadris, segure a parte posterior da faixa dele com sua mão esquerda e levante-o, usando seus braços e cintura.
244. Faça-o girar pela sua esquerda e torça seus quadris para a direita.

245. Continue a fazê-lo girar pela sua esquerda e coloque o quadril esquerdo sob ele, deixando seu pé esquerdo ir um pouco para a frente.
246-48. Mude a pegada da sua mão direita para a manga esquerda dele e puxe firme para baixo com sua mão direita, enquanto continua a torcer seus quadris para a direita.

O-guruma — Grande giro

Você desequilibra seu oponente para a frente, em direção à diagonal direita dele, coloca sua perna direita contra a parte inferior do abdome dele e arremessa-o por cima de sua perna.

O arremesso é diferente do *harai-goshi* porque depende principalmente da ação das pernas, não do movimento de quadris (Fig. 256).

249.   250.   251.   252.

253.   254.   255.

256.

249. Comece na postura natural pelo lado direito.
250. Mova o pé esquerdo para a frente, enquanto desequilibra seu oponente em direção ao canto frontal direito dele.
251. Gire para a sua esquerda e estenda a perna direita contra a parte superior das pernas dele.
252. Levante-o, fazendo girar sua perna direita para cima e para trás.
253. Ao mesmo tempo, puxe-o para baixo com ambas as mãos.
254-55. O corpo de seu oponente deve girar sobre sua perna.

GOKYO NO WAZA: GRUPO 4   93

Soto-makikomi — Arremesso para fora, segurando em volta (Golpe de sacrifício)

Ao desequilibrar seu oponente para a frente, em direção à diagonal direita dele, puxe-o para perto de você, gire em círculo a sua esquerda, de modo que o corpo dele fique preso em volta do seu, e caia para a frente, jogando-o por cima de suas costas.

Ao prendê-lo em volta de seu corpo, segure o lado externo da manga direita dele, na altura do cotovelo, com sua mão direita, e a parte inferior externa da manga direita dele com sua mão esquerda. Mantenha o braço direito do oponente preso sob seu braço direito (Fig. 263).

257.

258.

259.

260.

261.

262.

263.

257. Na postura natural pelo lado direito, desequilibre-o para a frente, na diagonal direita dele.
258. Para manter o equilíbrio, ele dará um passo a frente com o pé direito, depois com o esquerdo.
259. Logo antes de ele mudar o peso para o pé direito, gire para sua esquerda e passe seu pé esquerdo por trás, a sua volta.
260. Coloque seu pé direito pelo lado de fora do pé direito dele e libere sua mão direita.
261. Puxe-o sobre seu lado direito com a mão esquerda.
262. Continue girando para a esquerda, prendendo o corpo dele em volta do seu, e jogue-se para a frente e para baixo.

Uki-otoshi — Queda flutuante

Você desequilibra seu oponente para a frente, em direção à diagonal direita dele, e puxa-o para baixo com ambas as mãos, fazendo com que ele caia para a frente em círculo.

Outra maneira de executar a técnica é recuar um passo e cair sobre seu joelho esquerdo, com os dedos do pé esquerdo levantados. Puxe com firmeza, usando a força combinada de ambos os braços (Fig. 271). Esta forma de arremesso é feita no *kata* de arremesso e, em geral, é a mais eficiente das duas.

264.

265.

266.

267.

268.

269.

270.

271.

264. A partir da postura natural pelo lado direito, avance um passo com o pé esquerdo de modo que o oponente recue um passo com o pé direito.
265. Dê um grande passo para trás com o pé esquerdo. Quando ele se aproximar com o pé direito, desequilibre-o para a frente, na diagonal direita dele.
266. No momento em que ele colocar o peso no pé direito, gire a parte superior do seu corpo para a esquerda.
267. Empurre para baixo com a mão esquerda, enquanto puxa para cima com a direita, que estará segurando a lateral esquerda da gola do oponente.
268-70. Ele deve cair em um círculo para a frente, na diagonal direita dele.

GOKYO NO WAZA: GRUPO 4

Gokyo no Waza: GRUPO 5

Osoto-guruma   Grande giro externo

Após desequilibrar seu oponente em direção à diagonal posterior direita dele ou direto para trás, coloque sua perna direita contra a parte posterior do joelho direito dele e jogue-o para trás, por cima de seu joelho. Sua coxa direita funcionará como eixo.

Uma forma alternativa de executar este arremesso, usando a mesma ação das mãos, é desequilibrar o oponente para a frente, na diagonal direita dele, ou diretamente para a frente, e então colocar seu joelho esquerdo contra a coxa esquerda dele e fazer o arremesso (Fig. 279).

272.

273.

274.

275.

276.

277.

278.

279.

272. Comece na postura natural pelo lado direito.
273. Puxe seu oponente para cima e empurre-o (*tsurikomi*) para trás ou em direção à diagonal posterior direita dele, e então coloque seu pé esquerdo em paralelo ao pé direito dele.
274. Passe uma falsa rasteira com sua perna direita. Seu oponente vai resistir, curvando-se para a frente.

275. Estenda sua perna direita contra a parte posterior das pernas dele, pegando desde a coxa direita até o joelho esquerdo.
276. Com a mão direita, empurre-o com força e, com a esquerda, puxe-o para perto da sua lateral.
277-78. Incapaz de recuar um passo para se reequilibrar, seu oponente cairá sobre sua perna.

Uki-waza — **Arremesso flutuante**

Após desequilibrar seu oponente para o canto frontal direito dele, bloqueie-lhe o pé direito com seu pé esquerdo e jogue-o sobre você ao cair sobre seu lado esquerdo.

Para que a técnica seja bem-sucedida, é preciso uma excelente coordenação quando você sacrifica sua posição em pé para fazer uso total do poder que está disponível. Não é absolutamente necessário recuar um passo com seu pé direito, mas você pode fazer isso antes de estender o pé esquerdo bem para o lado.

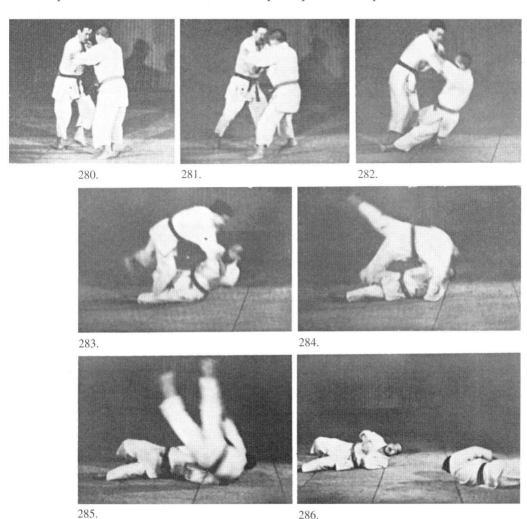

280. A partir da postura natural pelo lado direito, recue um passo com o pé direito e, quando seu oponente avançar com o pé esquerdo, desequilibre-o em direção ao canto frontal esquerdo dele.
281. Para se reequilibrar, ele avançará com o pé direito.
282. Nesse momento, passe seu pé esquerdo pelo lado externo do pé direito dele.
283. Caia para a sua esquerda.
284. Ao cair, puxe sua mão esquerda, fazendo um arco contra seu corpo, e empurre a direita em arco para o lado esquerdo.
285-86. Seu oponente cairá para o canto frontal direito dele.

Yoko-wakare — **Separação lateral**

Desequilibre seu oponente para a frente e "sacrifique-se", caindo sobre as costas para seu lado esquerdo. Jogue-o sobre seu corpo esticado.

Esta técnica é usada principalmente para contra-atacar o *uki-goshi*, o *o-goshi* e o *seoi-nage*. Dando um rápido passo em volta do oponente, você usa a vantagem de seu movimento de avanço para arremessá-lo (Figs. 295-98).

287. 288. 289. 290. 291.

 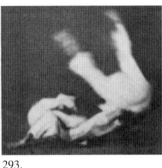 

292. 293. 294.

295. 296. 297. 298.

287. Comece na postura natural pelo lado direito.
288. Puxe um pouco seu oponente para fazê-lo avançar mais com o pé esquerdo, depois o desequilibre para a frente e dê um passo por fora do pé esquerdo dele com seu pé esquerdo.
289. Traga seu pé direito para a frente, deslize o pé esquerdo para a esquerda e caia sobre seu lado esquerdo.

290. Ao cair, puxe-o para baixo com força e com ambas as mãos.
291-94. Seu oponente cai para a frente sobre seu corpo e pousa no chão, formando um ângulo reto em relação a você.
Nota: Na forma básica desta técnica, o oponente é arremessado em direção ao canto frontal direito (ou esquerdo) dele.

Yoko-guruma — Giro lateral

Esta técnica pode ser usada para arremessar uma pessoa que se curva para a frente, tentando evitar ser arremessada para trás com o *utsuri-goshi* ou com alguma técnica semelhante. Passando sua perna direita entre as pernas do oponente, caia sobre seu lado direito e jogue-o sobre sua cabeça.

299.

300.

301.

302.

303.

304.

305.

306.

299. Comece na postura natural pelo lado direito.
300. O oponente tenta arremessar você com o *hane-goshi* ou o *o-goshi*, e você coloca seus braços em volta dele para contra-atacar com o *ura-nage* ou o *utsuri-goshi*.
301. Ele reage, curvando-se para a frente.
302. Coloque sua perna direita entre as pernas dele.
303. Caia sobre seu lado direito, enquanto o puxa em sua direção com a mão esquerda, e o empurra para cima com a mão direita.
304-06. Seu oponente voa sobre sua cabeça e cai perto de seu ombro esquerdo.

GOKYO NO WAZA: GRUPO 5

Ushiro-goshi   Arremesso para trás com o quadril

O *ushiro-goshi* é usado para contra-atacar um arremesso de quadris. Colocando, por trás, seus braços em volta da cintura do oponente, curve-se para trás, balance-o no ar e jogue-o de costas.

Isso deve ser feito com rapidez ou seu oponente poderá prender as pernas nas suas. O joelho esquerdo ou os braços podem ser usados para jogá-lo no tatame.

307.   308.   309.
310.   311.   312.
313.   314.

307. Comece na postura natural pelo lado direito.
308. Seu oponente tenta fazer um arremesso de quadris.
309. Abaixe seus quadris e ponha os braços em volta da cintura dele.
310. Puxando-o para perto de você, estique as pernas e curve o corpo para trás.

311. Suspenda-o no alto, longe do tatame.
312. Quando ele começar a cair, mova suas pernas para trás.
313-14. Curve-se para a frente e puxe-o para baixo de modo que ele não possa cair de pé.

Ura-nage — Arremesso para trás

Coloque os braços em volta do oponente pelo lado direito dele (ou pelas costas, Fig. 323), levante-o e jogue-o para trás sobre seu ombro esquerdo conforme você se sacrifica, caindo para trás.

Tome cuidado para não jogar o oponente de cabeça.

315.   316.   317.   318.

319.   320.   321.

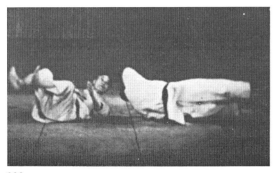 

322.   323.

315. Comece na postura natural pelo lado direito.
316. Seu oponente tenta fazer um arremesso com os quadris pelo lado direito. Dê um passo para perto dele com seu pé esquerdo e abaixe seu quadril.
317. Coloque os braços em volta dele pelo lado direito.
318. Estique suas pernas e se curve para trás a fim de levantá-lo.
319. Jogue-o para trás à medida que você também cai diretamente para trás.
320-22. Seu oponente voará sobre seu ombro esquerdo.

Sumi-otoshi — Arremesso para a diagonal

Após desequilibrar seu oponente para o canto posterior direito dele, arremesse-o nessa mesma direção com ambas as mãos.

Esta é uma técnica especialmente difícil, pois depende quase totalmente das mãos. Ela não funcionará a menos que seja feita com muita habilidade e com um *timing* perfeito. Note, em especial, como a parte superior do seu corpo se torce um pouco para a direita quando você empurra seu oponente.

A única diferença entre o *sumi-otoshi* e o *uki-otoshi* é a direção para a qual você faz o arremesso. O princípio envolvido é o mesmo.

324. Comece na postura natural pelo lado direito.
325. Recue um passo com o pé direito e puxe o oponente para que ele avance com o pé esquerdo.
326. Abaixe seu quadril e dê um passo por fora do pé direito dele com o seu esquerdo.
327. Ao mesmo tempo, empurre-o com força para a diagonal posterior direita dele com sua mão direita, e puxe-o com a esquerda.
328. A perna esquerda dele deverá voar no ar.
329-31. Continue a empurrá-lo com a mão direita e puxá-lo com a esquerda, que ele cairá de costas, girando.

Yoko-gake   Arremesso lateral

Após desequilibrar seu oponente para o canto frontal direito dele, desequilibre-o para o lado direito dele. Passe-lhe uma rasteira na perna direita e jogue-o em direção ao lado direito dele à medida que você cai sobre seu lado esquerdo.

Tanto as suas mãos, como a rasteira com o pé e a técnica de sacrifício precisam funcionar juntas. A rasteira deve ser fluida e forte, não apenas um chute.

332.   333.   334.   335.

336.   337.

338.   339.

332. A partir da postura natural pelo lado direito, recue um passo com o pé direito e puxe o oponente de modo que ele avance um passo com o pé esquerdo.

333. Recue então um pequeno passo com o pé esquerdo e puxe o oponente para que ele avance um passo com o pé esquerdo. Desequilibre-o para a diagonal frontal direita dele.

334. Desequilibre-o para a direita dele, empurrando-o levemente nessa direção com sua mão direita e puxando-o com a esquerda.

335. Caia sobre seu lado esquerdo.

336. Ao mesmo tempo, passe-lhe uma rasteira pelo lado externo do tornozelo com a sola de seu pé esquerdo.

337-38. Mantenha uma forte pressão para baixo, empurrando-o com sua mão esquerda.

339. Seu oponente vai cair quase paralelo a você.

Shimmeisho no Waza

O *Gokyo no Waza* foi formalmente criado em 1895 e revisto em 1920. Desde então, várias novas técnicas passaram a ser usadas em larga escala. Depois de cuidadosas análises, a Kodokan decidiu incluir as próximas dezessete técnicas no corpo das técnicas de arremesso oficialmente reconhecidas.

Morote-gari

340.   341.   342.   343.

Kuchiki-taoshi

346. Dê um passo entre as pernas do oponente com o pé direito.
347. Rapidamente segure por dentro a perna direita dele com sua mão direita, ou então por fora com a mão esquerda.
348-51. Levante a perna e empurre-o para trás e para baixo.

346.   347.

Kibisu-gaeshi

352.   353.   354.   355.

Técnicas de mãos

Derrubar agarrando com as duas mãos

340. Dê um passo entre as pernas do oponente com o pé direito.
341. Jogue seu ombro contra o peito dele e ponha seus braços em volta das pernas dele, logo acima dos joelhos.
342-45. Puxe as pernas do oponente em sua direção e jogue-o diretamente para trás.

344.   345.

Queda com uma mão segurando o calcanhar

348.   349.   350.   351.

Queda com uma mão segurando a perna

352. Dê um passo com o pé esquerdo por fora do pé direito do oponente.
353. Abaixe os quadris.
354-57. Puxe o pé direito dele por trás com a sua mão direita ou com a esquerda, como nas técnicas *kouchi-gari* ou *kosoto-gari*.

356.   357.

Uchi-mata-sukashi — Desvencilhar a entrada entre as pernas

358.

359.

360.

361.

362.

363.

358-63. Quando seu oponente se aproxima para aplicar um *uchi-mata* pela direita, coloque-se perto da perna dele que quer passar a rasteira e use o impulso dele para jogá-lo à frente.

Técnica de Quadril

Dakiage — Levantamento para o alto arremessando

364.

365.

366.

364. Quando seu oponente está caído de costas sobre o tatame, avance entre as pernas dele.
365. Passe suas mãos por baixo das pernas dele e segure-o pela faixa por ambos os lados.
366-67. Levante o joelho direito, puxe o oponente em sua direção e fique em pé.
Nota: Esta técnica não é permitida em *randori* ou torneios.

367.

Técnicas de Pés e Pernas

Tsubame-gaeshi — Contra-ataque

368. 369. 370. 371. 372.

373. 374.

368. Seu oponente tenta um *deashi-harai* pela direita.
369. Mude seu peso para a perna esquerda e puxe seu pé direito, dobrando o joelho.
370-74. Arremesse o oponente com um *deashi-harai* pela esquerda.

Osoto-gaeshi — Contra-ataque de arremesso, com grande rasteira por fora

375. 376. 377. 378.

379. 380.

375-77. Seu oponente se move para um *osoto-gari* pela direita.
378-80. Antes que ele tenha a chance de pegá-lo desequilibrado para a sua retaguarda direita, aplique-lhe seu próprio *osoto-gari* pela direita.

Ouchi-gaeshi — Contra-ataque de arremesso, com grande rasteira por dentro

381. 382. 383. 384.

385. 386. 387. 388.

389. 390. 391. 392.

381. Seu oponente ataca com um *ouchi-gari* pela direita.
382-84. Quando ele enganchar sua perna esquerda, usando a direita dele, passe-lhe uma rasteira e jogue-o em direção à retaguarda.
385. Uma alternativa é você levantar sua perna esquerda antes que ele possa enganchá-la.
386-88. Com seus braços, arremesse-o para a retaguarda direita dele.
389-92. Outra possibilidade é, após levantar sua perna esquerda, jogá-lo em direção ao canto frontal esquerdo dele.

406. 407.

108   NAGE-WAZA

Kouchi-gaeshi   Contra-ataque de arremesso, com pequena rasteira por dentro

393. Seu oponente ataca com um *kouchi-gari* pela direita.
394-96. Libere sua perna direita e arremesse-o, girando para sua esquerda.

397-401. Uma alternativa é você girar e arremessá-lo para a sua direita. Você também pode aplicar-lhe um *hiza-guruma*.

Hane-goshi-gaeshi   Contra-ataque com giro pelo quadril

402. Seu oponente ataca com um *hane-goshi* pela direita.
403-05. Enganche sua perna esquerda ao redor da parte inferior da perna esquerda dele e puxe para a sua direita.
406-09. Uma alternativa é você levantá-lo e puxar-lhe as pernas para a sua esquerda, usando a perna direita.

SHIMMEISHO NO WAZA   109

Harai-goshi-gaeshi

410.　　　　　411.　　　　　　　　412.　　　　　　　　413.

Uchi-mata-gaeshi

416.　　　　　　　417.　　　　　　　418.　　　　　　　419.

Técnicas de Sacrifício Lateral
Kani-basami

422.　　　　423.　　　　　　　　424.　　　　　　　　425.

Kawazu-gake

428.　　　　　　429.　　　　　　　430.　　　　　　　431.

Contra-ataque com rasteira pelo quadril

414.   415.

410. Seu oponente ataca com um *harai-goshi* pelo lado direito.
411-15. Enganche sua perna esquerda em volta da parte inferior da perna esquerda dele e puxe-a para sua direita.

Contra-ataque do arremesso que engancha pela parte interna da coxa

420.   421.

416-21. Quando seu oponente se mover para aplicar um *uchi-mata*, enganche sua perna esquerda em volta da perna esquerda dele e puxe-a para sua direita.

Arremesso tesoura

426.   427.

422. A partir da postura natural pelo lado direito, desequilibre o oponente para trás.
423. Pule para perto do pé direito dele.
424-25. Estenda sua perna direita contra a barriga dele e ponha sua perna esquerda contra a parte posterior dos joelhos dele.
426-27. Jogue-o para trás.

Captura envolvendo com uma perna

432.   433.

428. Avance contra o oponente e passe seu braço direito pelo pescoço dele.
429. Gire e puxe-o com força para você.
430. Enrole sua perna direita em torno da parte inferior da perna esquerda dele, pelo lado de dentro, pressionando a lateral do seu pé contra a parte posterior do tornozelo dele.
431-33. Enganche a perna dele e jogue-se para trás.
Nota: Esta técnica não é permitida em *randori* ou torneios.

Osoto-makikomi

434.   435.   436.   437.

434-36. A partir de um *osoto-gari* ou de uma técnica semelhante, libere sua mão direita e gire para a esquerda, colocando seu braço direito contra o braço direito do oponente para prender o corpo dele ao seu.
437-39. Continue girando e caia com ele.

Uchi-mata-makikomi

440.   441.   442.

440-45. A partir de um *uchi-mata*, libere sua mão direita e gire para a esquerda, prendendo o corpo de seu oponente ao seu.

Harai-makikomi

446.   447.   448.

446-51. A partir de um *harai-goshi*, libere sua mão direita e gire para a esquerda, prendendo o corpo do oponente ao seu.

Arremesso com grande enganchamento por fora

438.

439.

Arremesso enganchando pela parte interna da coxa

443.

444.

445.

Arremesso com "ceifada" com o quadril

449.

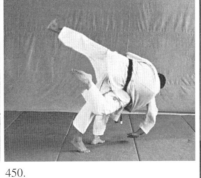
450.

451.

7. Katame-waza

Os *katame-waza* apresentados aqui são os mais usados nos *randori* e nas competições. Na prática, um arremesso normalmente vem antes de uma técnica de agarramento.

Como vimos no Capítulo 5, os *katame-waza* se dividem em *osae-komi-waza* (técnicas de aprisionamento), *shime-waza* (técnicas de estrangulamento) e *kansetsu-waza* (técnicas de articulações).

Osae-komi-waza

Nas descrições a seguir, as técnicas são executadas com o oponente deitado de costas no tatame. Apresentamos aqui as formas com a mão direita, mas é claro que existem as mesmas formas com a mão esquerda.

Nas técnicas de imobilização no chão, o oponente é mantido no lugar a partir de uma posição mais alta. Normalmente ele está deitado de costas, voltado para você. O objetivo é conseguir uma pegada firme, sem ser frouxa, da qual ele não consiga se livrar dentro de um limite de tempo fixado.

Pegada "firme" significa que o oponente não será capaz de anular a técnica ao segurar ou prender seu tronco ou suas pernas com as pernas dele.

Hon-kesa-gatame   Imobilização prendendo o pescoço e braço

Aproximando-se do oponente pelo lado direito dele e mantendo seu próprio corpo meio virado para a esquerda, você lhe segura o *judogi* pela axila direita, usando sua mão esquerda, e põe seu braço direito em volta do pescoço dele, numa gravata, segurando-lhe o *judogi* pelo ombro esquerdo.

Certifique-se de manter sua cintura e quadril direito presos com firmeza contra a parte superior do peito e a axila do oponente. Prenda o braço direito dele em sua axila esquerda, próximo a sua lateral.

1. Com sua mão esquerda, segure a parte superior externa da manga direita do oponente e prenda-lhe o braço direito em sua axila esquerda. Passe seu braço direito em volta do pescoço dele e ponha a mão no tatame, com a palma para baixo ou com o polegar para cima. Coloque seu quadril contra a axila direita dele, empurre sua coxa direita contra a lateral dele e pressione com força a lateral do seu corpo contra o dele. Dobre sua perna esquerda e estenda-a para trás, depois encoste sua cabeça no tatame.

2. Ficando do lado direito de seu oponente, prenda-lhe o braço direito em sua axila esquerda e passe seu braço direito sob a axila esquerda dele. Estenda a perna direita para a frente e a esquerda para trás. Use o lado direito de seu corpo para aplicar pressão e prender o oponente no chão.

3. Com seu braço esquerdo sobre o ombro direito e atrás do pescoço do oponente, segure-lhe a gola esquerda. Coloque sua coxa direita sob a cabeça dele. Passe sua mão direita pela axila esquerda dele e segure a parte de trás de sua própria calça, na altura do joelho direito. Estenda sua perna esquerda para trás e aplique pressão principalmente com o lado direito de seu corpo no ombro direito dele.

4. Segure o braço esquerdo do oponente com seu braço esquerdo passando sobre o ombro esquerdo dele e sob a axila esquerda. Segure-lhe o lado direito da faixa com sua mão direita. Com sua perna direita estendida para a frente e a perna esquerda para trás, faça pressão no ombro esquerdo dele com o lado direito de seu corpo.

Kuzure-kesa-gatame — Variação da pegada pescoço e braço cruzado

Essas técnicas de prender o oponente no chão são efetuadas de maneira diferente do *hon-kesa-gatame* básico, como mostramos nas ilustrações.

Defesa

As técnicas abaixo são eficientes contra todas as formas de *kesa-gatame*.

1. Segure a parte dianteira da faixa do oponente com sua mão direita, e a parte posterior da faixa com a mão esquerda. Arqueie seu corpo para cima e empurre o oponente para cima. Gire os quadris para a direita, passe o joelho direito sob o corpo dele e segure-o entre suas pernas.

2. Enquanto gira para a direita e empurra com a mão esquerda, libere seu braço direito, depois gire novamente para a esquerda e role sobre seu lado.

3. Se seu oponente reagir contra a última técnica, aplicando pressão no seu lado esquerdo, gire rápido para a esquerda e role-o para seu lado esquerdo.

4. Segure a parte posterior da faixa do oponente com a mão esquerda, arqueie as costas e empurre-o sobre sua cabeça, então dê mais um empurrão e saia de baixo dele.

5.

5. Coloque seu braço direito em torno do pescoço de seu oponente, puxe-lhe o braço direito em linha reta, com a mão esquerda, e pressione-a contra o lado direito do pescoço dele.

6. Passe seu braço esquerdo em volta do ombro dele e junte suas mãos. Puxe para cima com os braços e empurre para baixo com a cabeça e pescoço para prender o braço dele. Leve sua perna direita contra a lateral do corpo dele, mantendo seu joelho e seu pé no chão. Estenda a perna esquerda para a esquerda.

6.

Kata-gatame   Prender com o ombro e pescoço

Aproximando-se de seu oponente pelo lado direito dele, com seu corpo posicionado ligeiramente para a sua esquerda, passe seu braço direito em volta do pescoço e do braço direito dele, e junte suas mãos.

Você pode posicionar suas pernas como no *kesa-gatame*. Em vez de juntar suas mãos, é possível segurar a parte externa do meio da manga direita do oponente com sua mão esquerda, e o lado esquerdo da sua própria gola com sua mão direita.

Defesa

A maioria das defesas contra o *kesa-gatame* funcionará também com o *kata-gatame*. Combine-as com as seguintes:

Segure a parte posterior da faixa do oponente com sua mão esquerda livre. Gire o corpo para a esquerda até que possa unir suas mãos. Empurre o oponente para que ele role para a esquerda dele. Vire sobre seu rosto e libere seu braço direito da pegada dele. Gire para cima sobre sua cabeça e ombros e endireite-se.

7.

8.

7-8. Ajoelhe-se sobre a cabeça do oponente. Passe as mãos sob os braços dele e segure-lhe a faixa em ambos os lados, com os polegares para dentro. Prenda os braços dele na dobra de seus braços, pressionando a lateral de sua cabeça contra o abdome dele. Afaste seus joelhos e prenda o oponente com seu corpo.

9.

Kami-shiho-gatame — Aprisionamento da parte superior pelos quatro pontos

Enquanto se ajoelha sobre a cabeça do oponente, segure-lhe a faixa com ambas as mãos, passando seus braços sob a parte superior dos braços dele, e pressione seu corpo contra o dele.

Os iniciantes devem manter o peito dos pés no chão (Fig. 9). Alunos avançados podem se ajoelhar, apoiando a frente da sola dos pés no chão, o que torna mais fácil uma mudança de posição, se necessário. Certifique-se de não afrouxar sua pegada na faixa do oponente. Se ele tentar levantar um ombro, mude sua posição e faça pressão contra ele. Da mesma maneira, use seus braços e faça pressão com o corpo para controlar outras tentativas que ele fizer para se libertar.

Defesa

1. Crie um espaço entre seus corpos, arqueando suas costas e empurrando o oponente para cima com ambas as mãos ou segurando uma das pernas dele com sua mão oposta. Então, vire-se sobre sua barriga e saia de baixo dele, ou insira um dos joelhos, ou ambos, no espaço criado e empurre-o.

2. Segure um dos joelhos dele com uma das mãos e balance-o para a direita e para a esquerda, até conseguir rolar o oponente para o lado oposto da perna que você está segurando.

3. Empurre o corpo de seu oponente, estendendo seus braços, balance suas pernas para cima e prenda o corpo dele com elas, e então se sente.

10. 11.

12.

10-11. Ajoelhe-se bem ao lado do ombro direito de seu oponente. Passe seu braço esquerdo por baixo do ombro esquerdo dele e segure-lhe a parte posterior da faixa com seus polegares por cima. Coloque seu braço direito sob a axila direita dele e segure-lhe, por trás, o canto oposto da faixa. Abra bem suas pernas e escorregue para trás, até que seu abdome toque o tatame. Puxe os cotovelos para junto do corpo para melhorar a pegada.

Esta técnica é executada de maneira um pouco diferente no *kata* de agarramento. Coloque o braço direito sob a axila direita do oponente, segure a parte posterior da gola dele com sua mão direita (polegar para baixo) e prenda-lhe firmemente o braço direito contra seu corpo. Fique de joelhos e aproxime-os dos ombros do oponente, usando o joelho livre para também controlar o braço direito dele.

Kuzure-kami-shiho-gatame   Variação do aprisionamento da parte superior pelos quatro pontos

Esta é uma variação do *kami-shiho-gatame*. Sua mão direita deve segurar bem próximo da esquerda (Fig. 12).

Defesa

1. Arqueie suas costas e, com os braços, empurre o oponente para cima, criando uma abertura entre seus corpos. Empurre-o com as pernas de uma das seguintes maneiras: levantando seu pé e colocando-o na cintura do oponente; pondo seu joelho ou dedos dos pés sob o ombro dele; ou girando para o lado, dobrando o corpo e colocando uma perna sob o oponente. Ao final de seu contra-ataque, você deve estar segurando o corpo dele entre suas pernas.

2. Puxe-o com a mão esquerda e empurre-o para cima com a direita, gire para sua esquerda e tente rolar o corpo dele sobre seu corpo, para a sua esquerda.

Em ambos os casos, se o oponente mudar de posição, do seu ombro direito para o esquerdo, role-o para a sua direita.

É muito importante livrar seu braço direito quando você tenta escapar da forma *kata* do *kuzure-kami-shiho-gatame*.

13.

14.

15.

13. Aproxime-se de seu oponente pelo lado direito dele. Passe sua mão direita em volta da coxa esquerda dele e segure-o pela parte posterior da faixa. Coloque seu braço esquerdo em volta do pescoço dele e segure-lhe a parte superior da gola esquerda. Eleve seu joelho direito contra o quadril dele. Sua perna esquerda deve estar estendida para trás, com a frente da sola do pé no tatame, ou você pode colocar seu joelho esquerdo contra a axila dele. Pressione fortemente com seu corpo, mantendo seus quadris baixos, e segure o oponente com firmeza.

14. Aqui mostramos uma variação desta técnica, chamada *kuzure-yoko-shiho-gatame* (segurar "quebrado" pelo lado, pelos quatro cantos). Passe a mão sobre o ombro esquerdo do oponente e segure-lhe a parte posterior da faixa com sua mão esquerda.

15. Sua mão direita deve segurar-lhe as calças pela virilha, para que você possa puxá-lo e empurrá-lo pela virilha de acordo com os movimentos dele.

Yoko-shiho-gatame — Pegada lateral pelos quatro cantos

Segure seu oponente para baixo, com seu corpo no mesmo ângulo que o dele.

Para impedir que ele passe a perna direita entre seus corpos, coloque seu joelho direito contra a cintura dele e pressione-o para baixo com seu corpo. Se for necessário, mude a posição de seus quadris e pernas. Também é importante que você controle a parte superior do corpo dele, fazendo pressão com seu braço esquerdo.

Defesa

1. Segure a parte posterior da faixa do oponente com a mão esquerda, e a parte dianteira com a mão direita, depois arqueie as costas e levante-o. Ao mesmo tempo, passe a perna direita por baixo do corpo dele e aplique uma "tesoura" com suas pernas. Se ele resistir à tentativa de levantá-lo, use a força que ele faz ao empurrar e role-o por cima, para a sua esquerda.

2. Aplique-lhe uma chave no braço esquerdo com o seu direito.

3. Role sobre o rosto antes que ele possa aplicar a pegada.

16.

17.

16-17. Sente-se sobre o peito do oponente, com uma perna de cada lado, passe seu braço esquerdo sob o ombro esquerdo dele e segure-o pela parte posterior da faixa. Puxe-lhe o braço esquerdo até que fique em linha reta com sua mão direita, depois passe a mão em volta do cotovelo e segure a sua própria gola esquerda, prendendo o braço dele entre seu braço direito, ombro e pescoço. (Como alternativa você pode segurar suas próprias mãos, prendendo o braço dele entre seu braço esquerdo, ombro e pescoço, como no *kata-gatame*.)

18.

18. Curve-se para a frente até sua cabeça atingir o tatame, e faça forte pressão para baixo contra o oponente, com seu peito. Coloque seus pés por baixo dos quadris ou sob as coxas dele, bem para dentro, e aperte-lhe o corpo com seus joelhos.

Tate-shiho-gatame — Aprisionamento frontal, segurando pelos quatro cantos

Sentando-se sobre o peito do oponente, com uma perna de cada lado, curve-se para a frente e, com seu peito, pressione a parte superior do corpo dele.

Se for possível, mude a posição de seu corpo para a direção do ombro esquerdo dele e pressione seu joelho esquerdo contra a orelha direita dele. Esta é a posição mais eficiente. Se ele arquear as costas, rapidamente mova seus pés e junte-os por baixo do corpo dele.

Defesa

Usando o braço direito e as pernas, tente prender a perna esquerda ou ambas as pernas do oponente entre as suas pernas. Ao arquear suas costas, empurre-o com força e role-o por cima, para a sua esquerda. Faça um esforço contínuo para livrar seu braço esquerdo.

19.

21.

20.

19. Sente-se sobre o abdome do oponente, com uma perna de cada lado e os joelhos no tatame. Cruze seus braços e segure a parte superior da gola dele, de ambos os lados. Suas mãos devem estar posicionadas com os polegares para dentro.
20. Enquanto controla o corpo dele com suas pernas, curve-se para a frente e puxe com as duas mãos, abrindo os cotovelos.

Shime-waza

Nas técnicas de estrangulamento ou em chaves de estrangulamento, você usa suas mãos, braços ou pernas na gola do oponente para lhe aplicar pressão no pescoço ou na garganta.

Nami-juji-jime   Chave cruzada normal

Cruzando seus braços, prenda a gola do oponente com ambas as mãos, usando a pegada normal, e pressione o pescoço dele, como na técnica anterior (Fig. 21).

Procure controlar-lhe o corpo ao aplicar a técnica. Pratique para que você consiga segurar a parte superior da gola de ambos os lados rapidamente e com eficiência.

Esta técnica também pode ser usada quando você estiver deitado de costas, mas só se estiver com as pernas em volta do corpo de seu oponente você vai conseguir controlá-lo.

Defesa

1. Gire para sua direita, deixe seu braço esquerdo sob o braço esquerdo do oponente e coloque a palma de sua mão esquerda atrás do próprio pescoço.
2. Empurre o cotovelo esquerdo dele com sua mão direita, ou ambos os cotovelos ao mesmo tempo, e role o oponente para longe, à sua esquerda.

22. Com seus braços cruzados, segure a parte superior da gola do oponente, por ambos os lados, com seus polegares voltados para fora. Gire seu pulso esquerdo para a esquerda e o direito para a direita, e puxe com os dois braços, de modo que as costas de suas mãos pressionem a artéria carótida dele.

23.

Gyaku-juji-jime — Chave cruzada reversa

Como na técnica anterior, você segura a gola do oponente, ou a parte posterior da gola, com seus braços cruzados e o estrangula, aplicando pressão com as mãos.

Novamente, é importante controlar o corpo do oponente, enquanto você aplica a técnica. Qualquer um dos braços pode estar por cima, mas é sempre o braço de cima que mantém a pegada normal (Fig. 23).

Esta técnica pode ser aplicada por cima, pelos lados, enquanto a pessoa está deitada de costas ou está em pé. A ilustração acima mostra a posição supina.

Defesa

1. Empurre os cotovelos do oponente com as mãos.
2. Empurre o cotovelo direito dele com sua mão esquerda, gire seu corpo para a esquerda, insira sua mão direita por baixo do antebraço direito dele e coloque-a atrás de seu próprio pescoço.

24.

25.

26.

24. Sente-se sobre o abdome do oponente, com uma perna de cada lado e os joelhos no tatame. Pegue a parte superior da gola esquerda dele com a mão esquerda, mantendo o polegar para fora. Segure-lhe o lado direito da gola, perto do pescoço, com a mão direita, mantendo os dedos para fora. Puxe com a mão esquerda e pressione com a direita, deixando o cotovelo direito dobrar.

25. De preferência, curve-se para a frente e pressione seu cotovelo direito contra o chão. Coloque sua força nos braços e estrangule o oponente o mais rápido possível.

Kata-juji-jime   Meia chave de estrangulamento cruzada combinada

Enquanto senta sobre seu oponente, pegue a gola esquerda dele com sua mão esquerda (polegar para fora) e a gola direita com sua mão direita (polegar para fora), então puxe com a mão esquerda e empurre com a direita, como se estivesse torcendo uma toalha, para estrangulá-lo. A pegada com o polegar para dentro é a maneira normal; com os dedos para dentro é a pegada reversa (Fig. 26).

Para aplicar esta técnica, você deve controlar o oponente com seus joelhos e pés. Aplique pressão contra o pescoço dele, usando a parte interna de seu pulso esquerdo e o lado externo do pulso direito. As posições de suas mãos podem ser invertidas, mas, nos dois casos, a mão de cima deve segurar a gola do oponente com os dedos para fora.

Defesa

Empurre o cotovelo direito do oponente para cima com sua mão esquerda, enquanto puxa-o com sua direita, então o role para seu lado direito. Você pode rolá-lo para a esquerda, mas, nesse caso, você também precisa pôr sua mão direita sob o antebraço direito dele e soltar-lhe as mãos, depois colocar a palma de sua mão atrás da cabeça dele. Se seu oponente estiver atacando por cima ou pela lateral, quebre a pegada dele com a mão esquerda.

27. Apoiado na frente da sola do pé, você se ajoelha atrás do oponente, que está sentado. Seu joelho direito deve estar por fora, próximo à lateral direita dele. Passe o braço direito pelo pescoço do oponente e pressione com a parte interna de seu antebraço ou com o pulso (pelo lado do polegar). Prenda suas mãos juntas, com a palma esquerda por cima, perto do ombro esquerdo do oponente. Coloque o lado direito de sua cabeça contra o lado esquerdo da dele, e pressione a cabeça dele contra seu braço direito. Ao mesmo tempo, desequilibre-o para trás e aperte-lhe com força a garganta com seu braço direito.

28. Aqui está ilustrada uma variação do *hadaka-jime*. Passe o braço esquerdo em volta da garganta do oponente e encaixe-a pelo lado interno do seu cotovelo direito. Empurre a cabeça dele para a frente com a mão direita, enquanto o puxa para trás com seu braço esquerdo.

Hadaka-jime — Chave de estrangulamento sem usar o judogi

Esta técnica é aplicada por trás, e você não segura o oponente pelo *judogi*. Ajoelhado sobre o joelho esquerdo, coloque o lado interno do seu braço direito contra a parte anterior do pescoço dele, segure uma mão na outra, contra o ombro esquerdo dele, e aplique pressão no pescoço do oponente, utilizando a ação combinada dos braços.

O *hadaka-jime* também pode ser aplicado em um oponente em pé ou deitado no tatame.

Defesa

Com ambas as mãos, segure o lado externo da manga direita de seu oponente, na altura do ombro, puxe com força para baixo, curve-se para trás e tente liberar sua cabeça.

29.

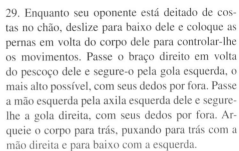

29. Enquanto seu oponente está deitado de costas no chão, deslize para baixo dele e coloque as pernas em volta do corpo dele para controlar-lhe os movimentos. Passe o braço direito em volta do pescoço dele e segure-o pela gola esquerda, o mais alto possível, com seus dedos por fora. Passe a mão esquerda pela axila esquerda dele e segure-lhe a gola direita, com seus dedos por fora. Arqueie o corpo para trás, puxando para trás com a mão direita e para baixo com a esquerda.

30. Se seu oponente estiver sentado no tatame, coloque sua testa na nuca dele, desequilibre-o para trás e aplique a técnica.

31. Se ele estiver deitado com a barriga para baixo, passe os braços pelas laterais a fim de segurar-lhe a gola, então se curve para a frente sobre dele, enquanto lhe aplica pressão sobre o pescoço.

30.

31.

Okuri-eri-jime   Chave deslizante de gola

Segure por trás a parte superior esquerda da gola do oponente com a mão direita, e o lado direito da gola com a mão esquerda, e estrangule-o com as duas mãos, como se estivesse torcendo-lhe o pescoço.

Em vez de primeiro passar a mão em volta do pescoço dele com seu braço direito, você pode inserir seu braço esquerdo sob a axila dele, segurar-lhe a gola esquerda e puxá-la para baixo, depois segurá-la com a mão direita. Sua mão esquerda segura então o lado esquerdo da gola dele.

Se seu oponente resistir, cruzando os braços e segurando os lados da própria gola, ponha a perna direita no ombro dele e empurre-lhe a mão direita, tirando-a da gola. Depois lhe prenda o braço direito, cruzando suas pernas nas costas dele.

Defesa

Como no *hadaka-jime*, segure a manga esquerda dele com as duas mãos e puxe para baixo, depois empurre para cima, para sua esquerda, e libere sua cabeça.

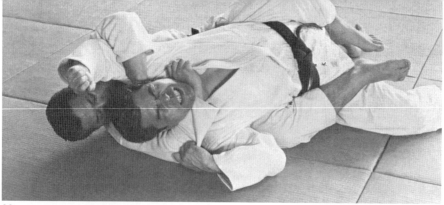

32.

33.

32. Seu oponente está deitado no chão. Entre embaixo dele e lhe controle o corpo com as pernas. Ponha seu braço direito em volta do pescoço dele e segure-lhe a parte superior da gola esquerda. Passe sua mão esquerda pela axila esquerda dele e empurre-lhe o braço para cima com seu antebraço esquerdo, depois coloque a mão esquerda, com o pulso e os dedos retos, entre o pescoço dele e seu braço direito. Enquanto lhe pressiona o pescoço com a mão esquerda, puxe com força a gola dele para baixo, usando sua mão direita.

33. A maneira de usar suas mãos e braços é a mesma, quer a técnica esteja sendo aplicada em alguém sentado ou agachado. Entretanto, suas pernas devem estar posicionadas como no *hadaka-jime*. Certifique-se de desequilibrar o oponente para trás.

Kata-ha-jime   Chave com um braço na nuca

Por trás, coloque o braço direito em volta do pescoço do oponente, agarrando-lhe a parte superior esquerda da gola. Então passe primeiro a mão esquerda sob a axila dele e depois a leve para cima até encontrar a nuca do oponente, sendo que as costas da sua mão esquerda ficam contra a nuca dele. Estrangule-o, puxando com sua mão direita e empurrando com a esquerda.

Se você puxar inicialmente o lado esquerdo da gola dele com a mão esquerda, verá que é mais fácil segurar a parte de cima com a mão direita.

Defesa

Quando o oponente for colocar a mão esquerda atrás de sua nuca, empurre-a para baixo com sua mão direita e dobre a cabeça para trás.

34.

Katate-jime **Estrangulamento com uma mão**

Enquanto prende o oponente com as costas no chão, segure-lhe a gola esquerda pela lateral, usando sua mão esquerda, com o polegar para dentro. Conclua a técnica, aplicando pressão contra o pescoço do oponente (Fig. 34).

35.

36.

Ryote-jime **Estrangulamento com as duas mãos**

Pela frente, segure a gola direita do oponente com sua mão esquerda (polegar para dentro) e a gola esquerda com sua mão direita (também polegar para dentro). Aplique pressão nos dois lados do pescoço dele com os punhos (Figs. 35-36).

37.

Sode-guruma-jime **Estrangulamento em roda com a manga**

Esta técnica também é aplicada pela frente. Ponha o antebraço direito contra a garganta do oponente e o antebraço esquerdo contra a parte posterior do pescoço dele. Segure a parte inferior de sua própria manga direita com a mão esquerda e empurre sua mão direita contra o lado direito do pescoço dele. Aplique pressão, fazendo um movimento circular com ambos os braços (Fig. 37).

SHIME-WAZA   127

38.

39.

40.

Tsukkomi-jime   Estrangulamento empurrando

Segure pela frente o lado direito (ou ambos os lados) da gola do oponente com a mão esquerda. Empurre sua mão direita contra o lado direito do pescoço dele e aplique pressão (Figs. 38-40).

41.

Sankaku-jime   Estrangulamento triangular

Aplique pressão no pescoço do oponente, passando sua perna direita sobre o ombro esquerdo dele e sua perna esquerda por baixo da axila direita dele. Prenda seu pé direito sob a parte de trás do joelho esquerdo dele, na posição diagonal *sankaku*. Ao apertar suas pernas, você colocará pressão no lado esquerdo do pescoço do oponente (Fig. 41).

128   KATAME-WAZA

42.

43.

44.

42. Quando você se aproxima de seu oponente pelo lado direito dele, ele levanta a mão esquerda e tenta segurar sua gola. Segure o lado interno do pulso esquerdo dele com sua mão esquerda, com as costas da mão para cima, curve-se sobre ele e pressione-lhe o braço esquerdo para fora, na altura do ombro. O cotovelo dele deve estar dobrado. Passe a mão direita sob a parte superior do braço esquerdo do oponente e segure seu próprio pulso esquerdo. Enquanto segura o punho dele, aplique-lhe pressão no cotovelo, usando seu antebraço direito como alavanca contra a parte posterior do braço esquerdo dele.

43. Curve-se sobre seu oponente pelo lado direito dele, segure-lhe o pulso esquerdo com sua mão direita e dobre-lhe o braço até formar um ângulo reto. Passe sua mão esquerda sob a parte superior do braço dele e segure seu próprio pulso direito. Enquanto levanta seus ombros, pressione o pulso dele para baixo com sua mão direita e force o cotovelo esquerdo dele para cima com seu antebraço esquerdo.

44. A mesma chave pode ser aplicada quando você estiver com as costas no chão.

Kansetsu-waza

Chaves de juntas são direcionadas contra as juntas do oponente, que são torcidas, esticadas ou dobradas com as mãos, braços ou pés.

Ude-garami   Chave de braço

Enquanto segura o pulso do oponente com sua mão esquerda, passe o antebraço direito sob a parte superior do braço dele e segure seu próprio pulso esquerdo, depois prenda a junta do cotovelo dele, pressionando-lhe a parte superior do braço com seu antebraço direito.

Para que a técnica seja eficiente, você precisa controlar bem o braço esquerdo do oponente e aplicar a alavanca com firmeza.

Estão mostradas aqui três formas de se praticar a técnica.

Defesa

1. Para se defender contra a primeira forma da técnica, segure seu próprio pulso esquerdo com a mão direita, gire o corpo para a esquerda e se levante.

2. Contra a segunda forma, eleve a parte superior do corpo, segure sua própria faixa ou blusa com a mão esquerda e vire-se para sua esquerda. Se seu oponente depois tentar aplicar a técnica por trás, levante-se antes que ele consiga colocar as mãos em você.

45. Você se ajoelha sobre o joelho esquerdo ao lado direito de seu oponente. Ele tenta segurar sua gola com a mão direita. Segure o braço dele com suas mãos, colocando ambas as palmas pelo lado de dentro, com os polegares virados para fora. Puxe com as duas mãos e ponha a parte frontal de sua canela direita contra a lateral direita dele e role para trás, abaixando seus quadris para o mais perto possível do ombro dele; coloque então sua perna esquerda sobre a garganta e o peito dele, de modo que ele não consiga sentar. Segurando o braço dele com o lado interno para cima, levante seus quadris e puxe-lhe o pulso com ambas as mãos.

46. A mesma técnica pode ser aplicada quando a pessoa está deitada com as costas no chão.

Ude-hishigi-juji-gatame   Chave de braço cruzada

Enquanto segura o pulso direito do oponente com ambas as mãos, prenda o braço direito dele entre suas coxas e curve-o para trás, em direção ao cotovelo, pelo lado do dedo mínimo.

Esta técnica é geralmente aplicada no tatame, quando seu oponente ainda está segurando a sua gola ou manga esquerda depois de você o ter arremessado, ou quando você se aproxima dele pelo lado direito, ajoelhando-se sobre o joelho esquerdo, e ele segura sua gola com a mão direita.

A mesma técnica pode ser aplicada quando a pessoa está deitada com as costas no chão.

Defesa

1. Com a mão esquerda, segure o próprio pulso direito ou a parte inferior da manga, antes que seu oponente possa segurá-la, então gire e curve-se para a direita.

2. Se for pego nessa chave, gire e dobre seu braço direito até que o cotovelo aponte para o lado, empurre a perna esquerda do oponente com sua mão esquerda e role o corpo para a esquerda, até que esteja paralelo ao do oponente; então libere seu braço.

47. Você está deitado com as costas no chão. Seu oponente tenta segurá-lo com o braço esquerdo. Rapidamente, coloque a palma de sua mão direita fechada (ou seu antebraço) sobre o cotovelo esquerdo dele ou um pouco acima, e pressione-o até que o pulso esquerdo dele encontre seu ombro direito e o braço dele esteja reto.

48. Prenda sua mão direita sobre a esquerda e, enquanto controla o corpo dele com suas pernas e gira para sua direita, pressione para baixo o cotovelo do oponente com as duas mãos.

49. Você também pode usar esta técnica quando estiver de pé ou em um oponente que esteja com as costas no chão. Estando em pé, o momento de aplicá-la é quando seu oponente coloca o pulso na parte superior de seu braço.

47.

48.

49.

Ude-hishigi-ude-gatame   Chave de braço

Nesta técnica, também chamada de *ude-hishigi-zempaku-gatame*, você puxa o pulso esquerdo do oponente contra seu ombro direito, põe as mãos ou o antebraço direito sobre o cotovelo dele, que está esticado, e pressiona-o para baixo, na direção do seu corpo, exercendo pressão sobre o cotovelo esquerdo dele.

Defesa

Em vez de tentar liberar seu braço, empurre-o próximo ao ombro de seu oponente e dobre o braço.

50.

50. Você está com as costas no chão. Seu oponente passa a mão esquerda entre as suas pernas. Rapidamente, prenda-a em sua axila direita e segure a gola direita dele com a mão esquerda. Coloque o pé esquerdo contra a parte superior da coxa direita dele (ou na virilha) e empurre, desequilibrando-o então para a frente.

51. Controle-o, dobrando sua perna direita e colocando o pé um pouco acima da lateral esquerda da faixa dele. Ao mesmo tempo, gire os quadris para a esquerda, ponha a parte interna de seu joelho direito no lado externo do cotovelo dele e pressione com força para baixo.

51.

Ude-hishigi-hiza-gatame   Chave de braço com o joelho

Prenda o pulso direito de seu oponente em sua axila esquerda e pressione para baixo o cotovelo dele, pelo lado externo, com seu joelho esquerdo.

Coordenar estes três movimentos é de extrema importância: empurrar seu pé esquerdo contra o lado direito do corpo do oponente, desequilibrá-lo para a frente e pressionar o cotovelo direito dele com seu joelho esquerdo.

Defesa

1. Gire seu punho direito em sentido horário e puxe-o para fora da axila de seu oponente.
2. Empurre seu braço pela axila dele para aliviar a pressão no cotovelo.
3. Role para fora, sobre o corpo dele.

52.

Ude-hishigi-waki-gatame   Chave de braço prendendo pela axila

Pela lateral, segure um dos pulsos de seu oponente com ambas as mãos e prenda o braço dele em sua axila. Estenda o cotovelo dele e prenda o braço estendido (Fig. 52).

53.

54.

Ude-hishigi-hara-gatame   Chave da barriga com o braço

Segure um dos pulsos de seu oponente pela lateral, usando qualquer uma das mãos. Depois use seu abdome ou peito para aplicar pressão no cotovelo dele. Prenda-lhe o cotovelo, estendendo, girando e dobrando o braço (Fig. 53-54).

55.

Ude-hishigi-ashi-gatame   Chave de braço com a perna

Seu oponente está ao seu lado, com o rosto voltado para baixo; segure o antebraço dele com uma das suas pernas. Estique ou dobre o braço dele para travar o cotovelo (Fig. 55).

56. 57.

Ude-hishigi-te-gatame   Chave de braço com a mão

Pelo lado direito do oponente, deslize sua mão esquerda pela axila direita dele e segure-lhe o lado esquerdo frontal da gola. Prenda o pulso direito dele com sua mão direita, estenda-lhe o braço e trave-lhe o cotovelo (Fig. 56).

Também é possível segurar o pulso dele com uma mão ou com ambas, e aplicar-lhe uma chave no cotovelo, dobrando o braço na direção das costas (Fig. 57).

58. 59.

Ude-hishigi-sankaku-gatame   Chave de braço de forma triangular

Passe uma perna sobre o ombro do oponente e a outra sob a axila oposta para controlar a cabeça dele em um *sankaku-gatame* na diagonal. Isso pode ser feito pela frente, pelo lado ou por trás. Usando uma ou ambas as mãos, estenda ou dobre o braço dele que está preso, para prender-lhe o cotovelo em uma chave (Figs. 58-59).

8. Ataque Contínuo

Em *randori* e em competições, os ataques contínuos ocorrem com freqüência. Eles são de dois tipos: combinações de técnicas quando você está na ofensiva; e contra-ataques quando a manobra do oponente não é bem-sucedida.

Nem sempre é possível derrotar um oponente com a aplicação de uma única técnica. Algumas vezes é necessário o uso de técnicas combinadas, como, por exemplo, um arremesso seguido de outro arremesso. Ou então, se você arremessa o oponente, mas não consegue um ponto inteiro, talvez seja melhor passar para uma técnica de chão. Isso não significa que, depois de começar uma técnica, você não possa continuar com ela até o final. O mais importante é que você faça o máximo esforço para que todas as técnicas que aplicar sejam eficientes; para isso, é necessário estudar com afinco e dominar o *tsukuri* e o *kake*. Mas, caso sua técnica falhe, você precisa estar pronto para aplicar outra imediatamente.

Você precisa estar sempre pronto para aplicar naturalmente as técnicas que conhece quando for atacado por um oponente. Quando estiver contra-atacando, você retoma a iniciativa e impede que o oponente prossiga com o ataque.

À medida que avança em seu estudo de judô, você vai ficando mais atento para as aberturas, as oportunidades que ocorrem naturalmente para que possa aplicar combinações de técnicas e contra-ataques. Essa é uma indicação de que você está começando a compreender o princípio por trás do judô.

A seguir, sob as duas categorias gerais de combinações e contra-ataques, listamos alguns exemplos. É possível um número quase ilimitado de combinações.

Combinação de ataques
De arremesso para arremesso

Para a mesma direção
Hiza-guruma pela direita → *Hiza-guruma* pela direita

Da direita para a esquerda
Harai-tsurikomu-ashi pela direita → *Harai-tsurikomu-ashi* pela esquerda
Hiza-guruma pela direita → *deashi-harai* pela esquerda

1-8. De *hiza-guruma* pela direita para *deashi-harai* pela esquerda.

1.   2.   3.   4.

5.   6.   7.   8.

Da frente para trás
Uchi-mata → *kouchi-gari*
Hane-goshi → *ouchi-gari*

De trás para a frente
Ouchi-gari → *tai-otoshi*

9-16. De *ouchi-gari* para *kesa-gatame*.

9.   10.   11.   12.

13.   14.   15.   16.

Osoto-gari → harai-goshi

De arremesso para pegada

Osoto-gari → kesa-gatame

17-24. De *osoto-gari* para *kesa-gatame*.

17.

18.

19.

20.

21.

22.

23.

24.

Tomoe-nage → kuzure-kami-shiho-gatame

De técnica de pegada para arremesso

Kata juji-jime em posição de pé → *ouchi-gari*
Ude-hishigi-waki-gatame em posição de pé → *kouchi-gari*

De técnica de pegada para técnica de pegada

Kesa-gatame → kata-gatame
Okuri-eri-jime → hadaka-jime
Ude-hishigi-ude-gatame → juji-gatame
Kuzure-kami-shiho-gatame → ude-hishigi-juji-gatame
Yoko-shiho-gatame → okuri-eri-jime

25-32. De *yoko-shiho-gatame* para *okuri-eri-jime*.

25.

26.

27.

28.

COMBINAÇÃO DE ATAQUES 137

29. 30. 31. 32.

Kata-juji-jime → ude-hishigi-juji-gatame

Contra-ataques

De arremesso para arremesso

Usando a técnica de seu oponente
Kouchi-gari → tomoe-nage
Kosoto-gari → uchi-mata

Tirando vantagem da fraqueza dele quando inicia um arremesso
Tomoe-nage → ouchi-gari
Hiza-guruma → ouchi-gari

Tirando vantagem da fraqueza dele quando ele erra no ataque
Hane-goshi → hiza-guruma
Hane-goshi → hane-goshi

Controlando a técnica dele
Hane-goshi → utsuri-goshi
Seoi-nage → ura-nage
Harai-goshi → ushiro-goshi

33-40. De *hane-goshi* para *utsuri-goshi*.

33. 34. 35. 36.

37. 38. 39. 40.

Evitando, depois usando a técnica dele
Deashi-harai → okuri-ashi-harai
Uchi-mata → tai-otoshi

Atacando-o quando ele ataca
Ouchi-gari → okuri-ashi-harai
Osoto-gari → osoto-gari

De arremesso para técnica de pegada

Tomoe-nage → kesa-gatame
Kata-guruma → hadaka-jime → tate-shiho-gatame
Uki-waza → ude-hishigi-juji-gatame
→ ude-hishigi-hiza-gatame
→ tate-shiho-gatame

De técnica de pegada para arremesso

Kata-juji-jime em posição de pé → *tomoe-nage*
hadaka-jime em posição de pé → *seoi-nage*
ude-hishigi-waki-gatame → *sukui-nage*

De técnica de pegada para técnica de pegada

Todas as combinações concebíveis de técnicas são possíveis.

9. Atemi-waza

O respeito pela vida é reconhecido universalmente e, se a vida de um indivíduo está em risco, qualquer meio que evite o perigo é, sem dúvida, justificado. Mesmo quando a vida não está ameaçada, o poder de conter outra pessoa é uma fonte de confiança física e psicológica.

Em uma sociedade que vive sob a lei e a ordem, os ataques ou perigos inesperados podem surgir na forma de acidentes, pelas mãos de criminosos ou por situações imprevisíveis, como o ataque de um cão raivoso. Todos os indivíduos querem, portanto, possuir a habilidade básica para se defender, e é a pessoa que buscou um caminho, treinando as técnicas de ataque e defesa, que pode garantir a própria segurança. Por isso, é óbvia a importância do *atemi-waza*.

Enquanto as técnicas de arremesso do judô da Kodokan são baseadas nas da escola Kito, as técnicas de ataque, bem como as de agarramento, são derivadas das técnicas da escola Tenshin Shin'yo.

O *atemi-waza* é um conjunto de técnicas de autodefesa, nas quais se executa um ataque em pontos vitais do oponente para causar dor, perda de consciência ou morte. São empregadas apenas como último recurso quando alguém está sob o risco de ser morto, ferido ou capturado. As técnicas mais comuns são os golpes entre os olhos, contra o peito ou o plexo solar, e os chutes na virilha.

Ao contrário das técnicas de arremesso e de agarramento, as de ataque nunca são usadas em competições por causa da probabilidade de ferimentos. Elas são geralmente praticadas na forma de *kata*.

Quase todos os *atemi-waza* são executados com partes do braço ou da perna, embora a cabeça seja usada às vezes. Os ataques são classificados da seguinte forma:

Atemi-waza

Perna		
Calcanhar	**Frente da sola do pé**	**Joelho**
Ushiro-geri Yoko-geri	Naname-geri Mae-geri Taka-geri	Mae-ate

Braço				
Cotovelo	**Faca da mão**	**Punho**		**Ponta dos dedos**
Ushiro-ate	Kiriroshi Naname-uchi	Naname-ate Yoko-ate Kami-ate Tsukiage Shimo-tsuki Ushiro-tsuki	Ushiro-sumi-tsuki Tsukkake Yoko-uchi Ushiro-uchi Uchioroshi	Tsukidashi Ryogan-tsuki

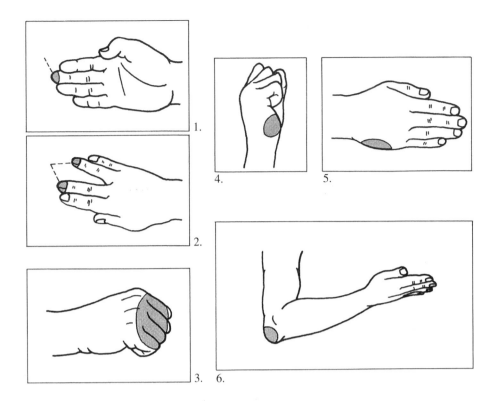

AS ARMAS DO CORPO

Pode-se golpear com várias partes do corpo, mas as mostradas nas ilustrações acima são as mais freqüentemente usadas. A seguir apresentamos um resumo das técnicas.

Pontas dos dedos

Os golpes são efetuados entre os olhos com o dedo médio (*tsukidashi*, Fig. 1) ou contra ambos os olhos com o dedo médio e o anular (*ryogan-tsuki*, Fig. 2).

Punho

O punho fica fechado com o polegar por fora. Os socos são dados com as costas dos dedos, mantendo-se o pulso reto; ou com os nós dos dedos, deixando-se o punho dobrado (Fig.3). O soco para baixo é desferido com a área carnuda abaixo do dedo mínimo, mantendo-se o punho fechado e a força concentrada no quarto e no quinto dedos (Fig. 4).

Faca da Mão

O polegar e os dedos ficam estendidos e unidos. O golpe é feito com a área carnuda entre o dedo mínimo e o pulso (Fig. 5).

Cotovelo

O cotovelo é usado para dar um golpe no plexo solar de uma pessoa em pé atrás de você. Antes do golpe, a mão fica com a palma para cima (o polegar e os dedos estendidos) e o antebraço é mantido na horizontal (Fig.6).

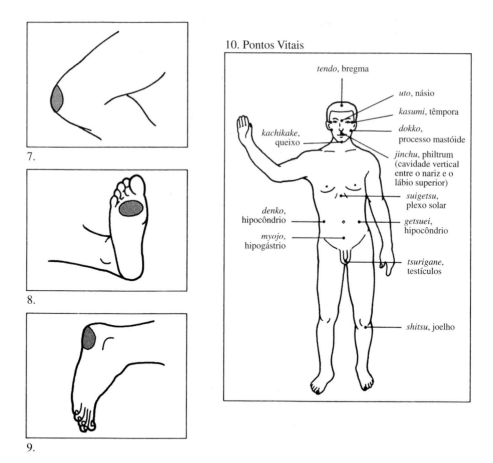

Joelho

Os golpes são dados diretamente para a frente com a patela (Fig. 7).

Frente da sola do pé

A maior parte dos chutes é feita com a parte da frente da sola do pé. Os dedos ficam levantados e o movimento vem dos quadris (Fig. 8).

Calcanhar

Os chutes são dados com a base do calcanhar (Fig. 9).

PONTOS VITAIS

O corpo humano tem vários pontos vitais, tais como: as juntas; os pontos em que o osso e o músculo se conectam, ou onde um músculo encontra outro; as áreas macias, não protegidas por ossos ou músculos; e certas áreas em que os órgãos vitais estão relativamente perto da superfície. No judô, assim como as próprias técnicas de golpes, também a identificação das áreas mais vulneráveis foram herdadas da escola Tenshin Shin'yo (Fig.10).

III
A PRÁTICA LIVRE

10. Randori

1. Treinamento em *randori* no Dojo Central da Kodokan.

Uma das razões pela qual o judô evoluiu até se tornar um esporte internacional é que suas duas formas de prática, o *randori* e o *kata*, são formas ideais de treinamento. O mesmo não aconteceu com o *jujutsu*, que era aprendido quase exclusivamente pela prática do *kata*. Nas escolas que enfatizavam o *randori*, como a Kito e a Tenshin Shin'yo, a prática em *randori* só começava quando o aluno tinha adquirido maestria no *kata*.

A origem do *randori* está em um tipo de treinamento conhecido como *nokori ai*, praticado pouco tempo antes da Restauração Meiji em 1868. Era uma forma de prática de *kata* em que os oponentes executavam uma determinada série de técnicas: o arremesso do *tori* tinha de ser feito de maneira eficiente, senão o *uke* aplicaria um contra-arremesso. Se o contra-arremesso do *uke* não fosse eficaz, o *tori* podia lançar seu próprio contra-ataque.

A meta fundamental do *randori* é desenvolver a habilidade de lidar rapidamente com qualquer circunstância mutável, desenvolver um corpo forte e flexível, e preparar a mente e o corpo para as competições. O *randori* deve ser muito praticado para que o aluno obtenha os melhores resultados. Preste a maior atenção nos seguintes pontos:

1. A posição fundamental do corpo é sempre a *shizentai*. Essa postura natural básica não é apenas a mais adaptável a mudanças, mas também a menos cansativa. Os dois parceiros ficam numa mesma postura.

2. Antes de tudo, a ênfase está colocada nas técnicas de arremesso. A prática de arremessos é a mais valiosa, tanto como educação física quanto treinamento espiritual, pois requer que o aluno perceba e reaja a uma maior variedade de situações. É só quando o aluno passa para as técnicas de agarramento após muita prática nas técnicas de arremesso que ele tem maior possibilidade de ficar igualmente eficiente em ambas. As pessoas que se especializam em judô por muitos anos ganham uma oportunidade inigualável de estudá-lo em profundidade, mas, para aqueles que sentem vontade de aprender apenas uma das técnicas, as de arremesso são consideradas, definitivamente, as mais importantes. É melhor se concentrar, de modo apropriado, em uma delas do que inadequadamente nas duas. Se o trabalho de chão é feito primeiro, as chances posteriores de o aluno aprender o *nage-waza* são poucas, ou talvez inexistentes. Especialmente se o tempo de prática for limitado, ele deve concentrar-se em aprender primeiro os arremessos.

3. Tenha sempre em mente que o *randori* é o treinamento da arte de ataque e de defesa. Em uma arte marcial, é essencial você treinar o corpo para se mover livremente e com agilidade, a fim de lidar com ataques de socos e chutes, e desenvolver a habilidade de reagir rapidamente e com eficácia. O objetivo imediato é vencer. Nunca admita a derrota.

Infelizmente, em muitos *dojos*, hoje em dia o *randori* não é praticado como deveria ser. Uma das razões é o *stress* do treinamento voltado para competições. Em competições e torneios, os participantes tendem a abandonar a postura natural básica e assumem posturas defensivas rígidas. O judô "estilo competição" que resulta disso está longe de ser o ideal.

Ao praticar na postura natural, os pontos que jamais devem ser esquecidos são: nunca usar força excessiva; sempre colocar nos ombros, quadris e membros a quantidade de força que for necessária; e sempre praticar os movimentos harmoniosamente e de maneira controlada, de acordo com sua vontade.

Uma segunda razão para as práticas atuais é que, com o aumento do número de pessoas que praticam judô, há uma falta de instrutores qualificados pelo mundo afora e os padrões de qualidade acabaram sofrendo prejuízo. Garantir a continuidade do *randori* no estilo da Kodokan é certamente uma das tarefas mais importantes que o mundo do judô enfrenta hoje.

IV
AS FORMAS

11. Kata

A seguir, apresentamos os sete tipos de *kata* (formas pré-organizadas), ensinadas atualmente na Kodokan.

Randori no Kata (Formas de Exercício Livre), que consistem de:
Nage no Kata (Formas de Arremesso)
Katame no Kata (Formas de Agarramento)
Kime no Kata (Formas de Decisão)
Kodokan Goshin Jutsu (Formas de Autodefesa Kodokan)
Ju no Kata (Formas de Gentileza)
Itsutsu no Kata (As Cinco Formas)
Koshiki no Kata (Formas Antigas)
Seiryoku Zen'yo Kokumin Taiiku no Kata (*Kata* de Educação Física Nacional de Máxima Eficiência)

Neste capítulo, mostramos brevemente todos os *kata*, menos o último. Cada *kata* é, em essência, uma seleção de técnicas-modelo. A prática das técnicas como elas ocorrem no *kata* ajudará na compreensão das bases teóricas do judô.

Nage no Kata

O *Nage no Kata* consiste de quinze técnicas representativas, três de cada uma das cinco categorias de técnicas de arremessos.

TABELA I

Te-waza	Koshi-waza	Ashi-waza
Uki-otoshi	Uki-goshi	Okuri-ashi-harai
Seoi-nage	Harai-goshi	Sasae-tsurikomi-ashi
Kata-guruma	Tsurikomi-goshi	Uchi-mata

Ma-sutemi-waza	Yoko-sutemi-waza
Tomoe-nage	Yoko-gake
Ura-nage	Yoko-guruma
Sumi-gaeshi	Uki-waza

Katame no Kata

Há quinze técnicas no *Katame no Kata*, cinco de cada uma das três categorias.

TABELA II

Osae-komi-waza	*Shime-waza*	*Kansetsu-waza*
Kesa-gatame	Kata-juji-jime	Ude-garami
Kata-gatame	Hadaka-jime	Ude-hishigi-juji-gatame
Kami-shiho-gatame	Okuri-eri-jime	Ude-hishigi-ude-gatame
Yoko-shiho-gatame	Kata-ha-jime	Ude-hishigi-hiza-gatame
Kuzure-kami-shiho-gatame	Gyaku-juji-jime	Ashi-garami

Kime no Kata

O *Kime no Kata* também é conhecido como *Shinken Shobu no Kata* (Formas de Combate) e foi elaborado para ensinar os fundamentos de ataque e de defesa em uma verdadeira situação de combate, como ambos os nomes indicam. Suas vinte técnicas, que incluem ataques a pontos vitais, são todas aplicáveis nas situações da vida real, mas proibidas no *randori*. Elas estão divididas em dois grupos: o *idori*, em que a posição básica é de joelhos; e o *tachiai*, em que as técnicas são executadas na posição em pé.

TABELA III

Idori	Tachiai	
Ryote-dori	Ryote-dori	Tsukkomi
Tsukkake	Sode-tori	Kirikomi
Suri-age	Tsukkake	Nuki-kake
Yoko-uchi	Tsukiage	Kirioroshi
Ushiro-dori	Suri-age	
Tsukkomi	Yoko-uchi	
Kirikomi	Keage	
Yoko-tsuki	Ushiro-dori	

Kodokan Goshin Jutsu

O *Kodokan Goshin Jutsu*, estabelecido formalmente em 1958, é um grupo de 21 técnicas de autodefesa: doze para uso contra um atacante desarmado e nove contra um atacante armado.

TABELA IV

Contra-Ataque Desarmado	
Quando segurado	**À distância**
Ryote-dori	Naname-uchi
Hidari-eri-dori	Ago-tsuki
Migi-eri-dori	Gammen-tsuki
Kataude-dori	Mae-geri
Ushiro-eri-dori	Yoko-geri
Ushiro-jime	
Kakae-dori	

Contra-Ataque Armado		
Faca	**Bastão**	**Pistola**
Tsukkake	Furiage	Shomen-zuke
Choku-zuki	Furioroshi	Koshi-gamae
Naname-zuki	Morote-zuki	Haimen-zuke

Ju no Kata

Nestas formas, os movimentos são gentis, como o nome sugere. Os exercícios foram criados para treinar o aluno a lidar com o corpo em uma emergência e como empregar sua energia de maneira mais eficiente. Elas são recomendadas para iniciantes, pois sua prática serve para condicionar o corpo e ensinar o conceito de *ju*. Existem três grupos, cada um com cinco técnicas.

TABELA V

Grupo 1	Grupo 2	Grupo 3
Tsukidashi	Kirioroshi	Obi-tori
Kata-oshi	Ryokata-oshi	Mune-oshi
Ryote-dori	Naname-uchi	Tsukiage
Kata-mawashi	Katate-dori	Uchioroshi
Age-oshi	Katate-age	Ryogan-tsuki

Itsutsu no Kata

As cinco técnicas deste *kata* são conhecidas apenas pelos seus números. As duas primeiras se assemelham às técnicas de jujutsu, mas as demais são completamente diferentes de qualquer coisa vista no jujutsu, o que é bastante curioso. Os movimentos graciosos lembram o movimento da água, os corpos celestiais e outras forças naturais. O *kata* é considerado incompleto.

Koshiki no Kata

Também conhecido como *Kito-ryu no Kata*, as 21 técnicas deste *kata* eram originalmente as formas de arremesso da escola Kito. Eu as revisei e incorporei-as ao judô da Kodokan. As técnicas são de alta qualidade e muito refinadas, e sua prática traz uma visão profunda da teoria do judô. O *kata* tem duas partes.

TABELA VI

Omote		Ura
Tai	Uchikudaki	Mi-kudaki
Yume-no-uchi	Tani-otoshi	Kuruma-gaeshi
Ryokuhi	Kuruma-daore	Mizu-iri
Mizu-guruma	Shikoro-dori	Ryusetsu
Mizu-nagare	Shikoro-gaeshi	Sakaotoshi
Hikiotoshi	Yudachi	Yukiore
Ko-daore	Taki-otoshi	Iwa-nami

12. Nage no Kata

O *Nage no Kata* é o primeiro dos dois *Randori no Kata*. Suas quinze técnicas estão listadas na Tabela I, na p. 149.

Para iniciar o *kata*, você (o *tori*) e seu parceiro (o *uke*) ficam em pé, de frente um para o outro, a uma distância de aproximadamente 5,5 metros (Fig. 1). Você deve estar do lado direito, visto a partir do *joseki*. Ambos se viram para o *joseki* e fazem uma reverência em pé, depois se viram um para o outro e fazem uma reverência de joelhos (Figs. 2-3). (O significado de *joseki* é "lugar de honra". Esse local do *dojo* também é designado como *shomen*, que significa "frente".)

1.

2.

3.

TÉCNICAS DE MÃO

Uki-otoshi   Queda flutuante

4. Após as reverências em pé e de joelhos, você e seu parceiro se movem em direção um do outro, em *ayumi ashi*, até que estejam a cerca de 60 centímetros de distância.
5. Depois de uma breve pausa, seu parceiro avança um passo com o pé direito e você recua um passo com o pé esquerdo, ambos tomando a posição de *migi shizentai*. Ao fazer isso, cada um segura o *judogi* do outro com a pegada básica.
6. Puxe e desequilibre seu parceiro para a frente.
7-12. Quando ele avançar o pé direito para se equilibrar, recue novamente um passo com o pé esquerdo e puxe-o. (Aqui e em todo o *kata*, você se move em *tsugi-ashi*). De novo, ele avança o pé direito (Movimento 1). Dê um terceiro passo para trás com o pé esquerdo. Ele avança mais uma vez com o pé direito (Movimento 2). Rapidamente afaste seu pé esquerdo a fim de desequilibrá-lo para a frente, ajoelhe-se sobre o joelho esquerdo e arremesse-o, puxando com as duas mãos. Ao se ajoelhar, a melhor posição é quando você forma um ângulo de 30 a 45 graus com a linha que cruza ao meio o pé direito do parceiro.

A seguir, fiquem em pé, de frente um para o outro, e façam um *uki-otoshi* pelo lado esquerdo. Pratiquem as formas pelo lado direito e pelo esquerdo de cada uma das quinze técnicas deste *kata*.

Seoi-nage — Arremesso pelo ombro e braço

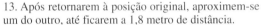
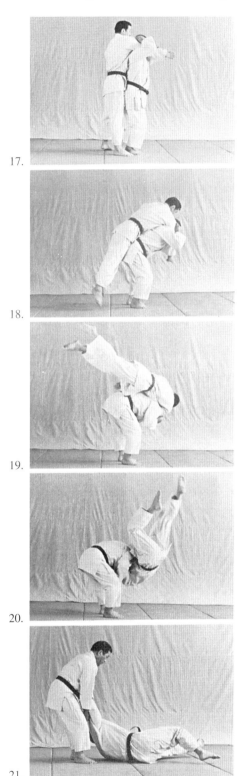

13. Após retornarem à posição original, aproximem-se um do outro, até ficarem a 1,8 metro de distância.
14. Seu parceiro avança um passo com o pé esquerdo e levanta o punho direito.
15. Ele vem para a frente com o pé direito e mira um soco descendente no topo de sua cabeça com a base do punho direito. Avance um passo para colocar seu pé direito pelo lado de dentro do pé direito dele. Utilizando o movimento dele, bloqueie o golpe com a parte interna de seu antebraço esquerdo contra o antebraço dele.
16. Com sua mão esquerda, segure a parte interna do meio da manga direita do parceiro a fim de desequilibrá-lo para a frente. Gire para sua esquerda sobre a ponta do pé direito e passe seu braço direito sob a axila direita dele.
17. Segure o braço dele abaixo do ombro direito. Continue girando para a sua esquerda, passando seu pé esquerdo por dentro do pé esquerdo dele, e puxe-o com firmeza contra suas costas.
18-21. Para arremessá-lo, levante-o, estique suas pernas e dobre-se para a frente, levando suas mãos para baixo, na sua frente.

TÉCNICAS DE MÃO   153

Kata-guruma   Giro pelo ombro

22.

23.

24.

25.

26.

27.

28.

29.

30.

22. Aproximem-se até uma distância de cerca de 60 centímetros.

23. Enquanto vocês se seguram, usando a pegada básica, recue um passo, ficando na postura básica pela direita, a fim de desequilibrar seu parceiro para a frente. Ele avança um passo com o pé direito (Movimento 1).

24. Novamente recue um passo com o pé esquerdo (*tsugi-ashi*) e mude sua pegada com a mão esquerda, passando do cotovelo para a parte interna do meio da manga direita dele, com seu braço por baixo do dele. Puxe a fim de desequilibrá-lo para a frente. Ele novamente avança o pé direito (Movimento 2). Recue mais um passo grande com o pé esquerdo, enquanto o puxa com a mão esquerda. À medida que o parceiro for de novo para a frente com o pé direito, abaixe seu quadril até estar em *jigotai*.

25. Quando ele se desequilibrar, curve-se para a frente, pressionando seu pescoço e seu ombro direito contra o quadril direito dele e envolva por dentro a coxa direita dele com seu braço direito.

26-27. Ao empurrá-lo para a frente com a mão esquerda, aproxime seu pé esquerdo do direito e, num único movimento integrado, fique em pé, levantando-o em seus ombros.

28-30. Arremesse-o para a sua diagonal esquerda frontal.

Harai-goshi

40.   41.

42.

43.

40-41. Quando você e seu parceiro estão a uma distância de cerca de 60 centímetros, ele move o pé direito para a frente e você recua um passo com o pé esquerdo e faz a pegada básica.

42. Dê um passo para trás com o pé esquerdo e puxe um pouco o parceiro para a frente. Ele reage, avançando um passo com o pé direito (Movimento 1), e você novamente recua um passo com o pé esquerdo.

43. Passe a mão direita por baixo da axila esquerda dele e coloque-a sobre a omoplata. Puxe-o e desequilibre-o para a frente. À medida que ele novamen-

TÉCNICAS COM O QUADRIL

Uki-goshi — Arremesso flutuante com o quadril

31.   32.   33.   34.

35.   36.   37.   38.

39.

31. Você e seu parceiro se aproximam, até ficarem a 1,8 metro de distância.

32-34. Ele dá um passo para a frente com o pé esquerdo e levanta o punho direito, avança com o pé direito e tenta golpear o topo de sua cabeça com a base do punho. Antes que o golpe o atinja, avance um passo para a sua diagonal direita com o pé esquerdo.

35. Abaixe um pouco o ombro esquerdo e dobre-se para passar seu braço esquerdo sob o braço direito do parceiro e em volta da cintura dele.

36. Puxe-o contra seu corpo, desequilibrando-o para a frente.

37-39. Com a mão direita, segure o meio da manga esquerda dele, pelo lado de fora, e gire para a sua direita a fim de fazer o arremesso.

Rasteira usando o quadril

44.   45.   46.

te avançar um passo com o pé direito (Movimento 2), gire para sua esquerda, levando seu pé esquerdo em diagonal, por trás do direito. Com as duas mãos, desequilibre o parceiro em direção ao canto frontal direito dele, fazendo-o avançar um pequeno passo com o pé direito. Pressione seu quadril direito com firmeza contra o baixo abdome dele.

44-46. Arremesse-o, passando uma rasteira para cima contra a perna direita dele com sua perna direita.

Tsurikomi-goshi   Arremesso com o quadril levantando e puxando

47.   48.   49.   50.

51.   52.   53.   54.

55.

47. Aproximem-se até uma distância de cerca de 60 centímetros.
48. Quando ele mover o pé direito para a frente e fizer a pegada básica, você move o pé esquerdo para trás e segura com a mão direita a parte de trás da gola dele.
49. Puxe para desequilibrá-lo para a frente, fazendo com que ele avance um passo com o pé direito. Recue novamente um passo com o pé esquerdo e desequilibre-o. Quando ele avançar de novo com o pé direito, recue um pequeno passo com o pé esquerdo e puxe-o para a frente.
50. À medida que o parceiro avança o pé direito, passe seu pé direito na frente do dele e puxe-o para cima com sua mão direita. Ele irá para a frente com o pé esquerdo e ficará na postura natural, endireitando-se para manter o equilíbrio. Puxe-o para a frente com as mãos e gire para sua esquerda, colocando seu pé esquerdo por dentro do pé esquerdo dele. Abaixe seu quadril e pressione-o contra as coxas dele.
51-55. Para fazer o arremesso, estique as pernas, levantando o quadril, e puxe o parceiro para baixo com as mãos.

TÉCNICAS COM PÉ E PERNA

Okuri-ashi-harai

56.   57.   58.   59.

56-57. Estando a uma distância de 30 centímetros, você e seu parceiro usam a pegada básica.
58. Tome a iniciativa e mova o pé direito um passo para a direita, levando junto o pé esquerdo, e force o parceiro a se mover com você, em direção à esquerda dele.

59. Repita o movimento, levantando as mãos.
60. Quando você der um terceiro e longo passo para a direita, levante-se em direção à direita com um movimento curvo e diagonal. Ao mesmo tempo, concentre a força na borda externa de seu pé es-

Sasae-tsurikomi-ashi   Arremesso com o pé de apoio "levantar e puxar"

64.

65.

66.

67.

68.

69.

70.

64-65. A uma distância de 60 centímetros, você e seu parceiro seguram-se pelo *judogi*, usando a pegada básica. O parceiro adianta o pé direito e você move o pé esquerdo para trás.

66. Tente desequilibrá-lo para a frente.

67. Quando ele reagir, avançando um passo com o pé direito, recue outro passo. Ele avançará novamente.

68. Recue um passo com o pé esquerdo e imediatamente mova o pé para sua diagonal direita posterior. Gire o corpo para a esquerda, com os dedos do pé direito para dentro. Quando seu parceiro tentar se equilibrar, indo para a frente com o pé direito, ponha a sola de seu pé esquerdo no tornozelo direito dele e puxe-o para cima.

69-72. Arremesse-o para a frente, puxando-o fortemente com a mão esquerda e empurrando-o com a direita.

71.

72.

Rasteira com o pé

60.   61.   62.   63.

querdo e, com a sola desse pé, passe uma rasteira pelo lado externo do tornozelo direito do parceiro.

61-63. Arremesse-o na direção em que ele está se movendo.

TÉCNICAS COM PÉ E PERNA   157

Uchi-mata

73.   74.   75.   76.   77.   78.

73-74. Aproximem-se até uma distância de 60 centímetros, assumam a postura natural básica pela direita e façam a pegada básica.

75. Enquanto puxa o parceiro com a mão direita, avance um passo, para a sua diagonal esquerda, com o pé esquerdo e leve o pé direito para trás, na diagonal esquerda.

76. Seu parceiro se aproxima em um arco, primeiro com o pé esquerdo e depois com o direito.

TÉCNICAS DE SACRIFÍCIO SUPINO

Tomoe-nage — Arremesso circular de sacrifício frontal

84.   85.   86.   87.   88.   89.

  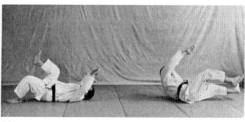

90.   91.   92.

93.

84-85. Frente a frente, a uma distância de 60 centímetros, assumam a postura natural básica pelo lado direito e façam a pegada básica.

86. Avance três passos, começando com o pé direito, e tente desequilibrar seu parceiro para trás.

87. Após retroceder três passos, ele resistirá, empurrando. Nesse momento, coloque o pé esquerdo pelo lado de dentro do pé direito dele e mude sua pegada com a mão esquerda: solte a axila dele e segure-lhe a gola direita; e desequilibre-o para a frente.

88. Quando ele avançar o pé esquerdo e os pés dele ficarem paralelos, dobre sua perna direita e suavemente ponha seu pé direito (com os dedos para cima) na parte inferior do abdome dele.

89-93. Sente-se o mais perto possível de seu calcanhar esquerdo e arremesse o parceiro por cima de sua cabeça, estendendo a perna direita e puxando, em um arco para baixo, com ambas as mãos.

Arremesso levantando por entre as pernas

79.   80.   81.   82.   83.

77. Mova-se outra vez e da mesma maneira para a sua esquerda, conduzindo o parceiro, num grande movimento circular, em direção à diagonal posterior direita dele.
78. Logo antes de ele mudar o peso para o pé esquerdo, desequilibre-o para a frente com as duas mãos.
79. Abaixe o corpo, ponha a perna direita entre as pernas dele e gire para a sua esquerda.
80-83. Levante-o e arremesse-o, passando-lhe uma rasteira com sua perna direita contra a parte interna da coxa esquerda dele.

Ura-nage Arremesso para trás

94.   95.   96.   97.   98.

99.   100.   101.   102.

103.

94-95. Quando você e seu parceiro estiverem a uma distância de 1,8 metro, ele tenta dar um golpe em sua cabeça com a base do punho direito.
96. Evite o golpe, estendendo o pé esquerdo logo atrás dele.
97. Abaixe os quadris e coloque o braço esquerdo em volta da cintura dele.
98. Simultaneamente, ponha seu pé direito entre os pés dele e coloque a palma da sua mão direita (com os dedos para cima) na parte inferior do abdome do parceiro.
99-103. Mantendo uma pegada forte, caia para trás e arremesse-o sobre seu ombro esquerdo pela ação de seus quadris e braços.

TÉCNICAS DE SACRIFÍCIO SUPINO

Sumi-gaeshi — Arremesso para a diagonal (Técnica de sacrifício)

 104.
 105.
 106.
 107.
 108.
 109.
 110.
 111.
 112.
 113.
 114.

104. Você e seu parceiro avançam até uma distância de 90 centímetros entre um e outro.

105. Avancem um passo com o pé direito e fiquem na postura defensiva pelo lado direito, passando as mãos direitas sob as axilas um do outro e as palmas colocadas nas costas. As mãos esquerdas seguram os lados externos dos cotovelos direitos.

106. Enquanto, com a mão direita, você puxa com força para cima, recue um grande passo com o pé direito, fazendo com que o parceiro vá para a frente com o pé esquerdo. Quando ele tentar se endireitar, levante-o com ambas as mãos. Para manter o equilíbrio, ele levará o pé direito para a frente, na diagonal.

107-8. Quando os pés dele estiverem paralelos entre si, passe seu pé esquerdo perto do seu direito e desequilibre-o para a frente.

109-14. Jogue-se para trás. Ao cair, coloque a lateral interna de seu pé direito atrás do joelho esquerdo do parceiro e arremesse-o por cima de sua cabeça, usando a ação combinada de sua perna direita e de seus braços.

TÉCNICAS DE SACRIFÍCIO LATERAIS

Yoko-gake — Arremesso lateral

115.

116.

117.

118.

119.

120.

121.

122.

115. Fique face a face com o parceiro a uma distância de 60 centímetros.
116. Ele se adianta um passo com o pé direito e vocês se seguram pelo *judogi*, utilizando a pegada básica.
117. Recue um passo com o pé esquerdo e tente desequilibrá-lo para a frente, fazendo com que ele avance com o pé direito. Recue outro passo com o pé esquerdo e faça com que ele avance o pé esquerdo, desequilibrando-o com força para a frente, em direção à diagonal direita dele, e inclinando-lhe o corpo para a direita.
118. Seu parceiro avança novamente com o pé direito. Recue um pequeno passo com o pé direito e, quando ele começar a se mover de novo para a frente com o pé direito, leve seu pé direito para junto do esquerdo e, mais uma vez, desequilibre-o com força para a diagonal direita frontal dele, usando ambas as mãos.
119-22. Ao mesmo tempo, coloque a sola do pé esquerdo contra o tornozelo direito dele e caia para a sua esquerda, dando-lhe uma rasteira no tornozelo à medida que você cai. Seu braço esquerdo puxa e o direito empurra, formando um arco.

Yoko-guruma

123.   124.   125.

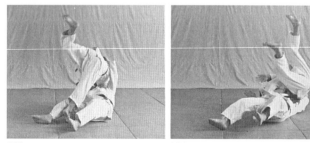 

130.   131.   132.

Uki-waza   **Arremesso flutuante**

134.   135.   136.   137.   138.

139.   140.   141.

134. Você e seu parceiro se aproximam e ficam face a face, a uma distância de 90 centímetros.
135. Ambos dão um passo para a frente com o pé direito e assumem a postura defensiva pelo lado direito.
136. Levante seu parceiro com a mão direita e recue um grande passo com o pé direito, fazendo com que ele avance um passo com o pé esquerdo.
137. Levante-o com ambas as mãos. Para se reequilibrar, ele dá um passo para o canto frontal direito dele com o pé direito.
138. Quando ele fizer isso, estique-se e deslize a perna esquerda, fazendo um arco, em direção à diagonal posterior direita dele para bloquear-lhe o pé, e caia sobre seu lado esquerdo, puxando com sua mão esquerda e empurrando com a direita.
139-41. Seu parceiro será arremessado sobre o próprio ombro direito.

Giro lateral

126. 127. 128. 129.

133.

123-25. A partir de uma posição de 1,8 metro de distância, seu parceiro avança três passos em sua direção — começando com o pé esquerdo — e tenta golpear o alto de sua cabeça com a base do punho direito.
126. Você tenta arremessá-lo com um *ura-nage*.
127. Ele contra-ataca, curvando-se.
128. Tire vantagem da posição dele, desequilibrando-o para a frente com sua mão esquerda e colocando sua perna bem entre as dele.
129-33. Ao mesmo tempo, jogue-se para seu lado direito, puxando-o com a mão esquerda e empurrando-o com a direita, e arremesse seu parceiro por cima de seu ombro esquerdo.

142. 143.

144. 145.

Depois de completar as séries com um *uki-waza* pela esquerda, você e seu parceiro retornam à posição inicial (Fig. 142). De frente um para o outro, fiquem na postura natural básica. Dêem, simultaneamente, um passo atrás, primeiro com o pé direito (Fig. 143). A uma distância de 5,5 metros, façam de novo a reverência de joelhos (Fig. 144). Levantem-se ao mesmo tempo, virem-se de frente para o *joseki* e façam a reverência na posição em pé (Fig. 145).

13. Katame no Kata

O *Katame no Kata*, o segundo *Randori no Kata*, é constituído por três grupos de técnicas: *osae-komi-waza*, *shime-waza* e *kansetsu-waza*. As cinco técnicas representativas de cada grupo estão listadas na Tabela II, na p. 149.

Para iniciar o *kata*, você, o *tori*, e seu parceiro, o *nage*, ficam em pé, de frente um para o outro, a uma distância de 5,5 metros (Fig. 1). Vocês devem estar à direita, quando visto do *joseki*. Juntos, vocês se viram para o *joseki* e fazem uma reverência em pé, depois se viram um para o outro e fazem uma reverência de joelhos (Figs. 2-4).

Levante-se e avance um passo com o pé esquerdo em *shizentai* (Fig. 5). Recue o pé esquerdo e ajoelhe sobre o joelho esquerdo, com o dorso do pé fora do tatame. Posicione o joelho direito em direção ao seu canto frontal direito e coloque a mão direita sobre ele. A mão esquerda fica naturalmente solta. Esta postura se chama *kyoshi*, a postura alta de joelhos (Fig. 6).

Seu parceiro coloca o pé direito apontado para dentro, então avança esse pé e leva o joelho esquerdo para o alto e para trás. Ele move o joelho direito para fora novamente a fim de assumir a postura alta de joelhos (Fig. 7). Esse método de se mover sobre um joelho é chamado de *shikko*.

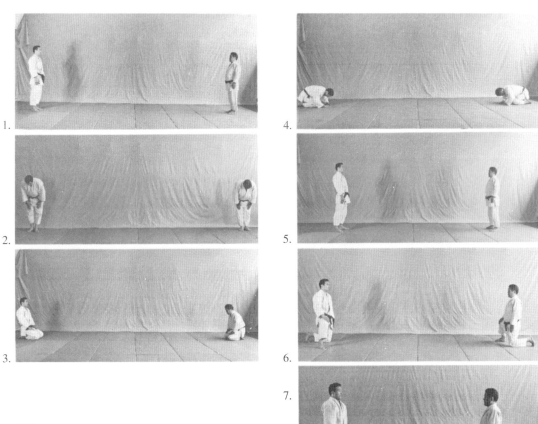

8.   9.   10.

Osae-komi-waza

Todas as três partes do *kata* começam com seu parceiro assumindo uma posição deitada, como mostrada a seguir.

Ele coloca a mão direita no tatame, na frente do joelho esquerdo, com os dedos virados para dentro e para a esquerda (Fig.8). Apoiando o corpo na mão direita e no pé esquerdo, ele levanta o joelho esquerdo, gira para a esquerda e estende a perna direita através do arco formado pelo corpo. Ele apóia os quadris no tatame, perto do calcanhar esquerdo e com o joelho esquerdo abaixado, deita para trás e encosta as mãos no corpo, perto da faixa (Figs. 9-10).

As técnicas terminam quando seu parceiro sinaliza que está derrotado, batendo no tatame duas vezes ou, se nenhuma das mãos está livre, batendo com um dos pés duas vezes no tatame.

Kesa-gatame   **Pegada pescoço e braço**

11.   12.   13.   14.

15.   16.   17.

11. Puxe seu pé direito e fique em pé, depois se aproxime do parceiro, em *ayumi ashi*, até que vocês estejam a 1,2 metro de distância. Fique na postura alta de joelhos. Essa é conhecida como "posição de longe".
12. Continue sua aproximação em *shikko* e pare a 30 centímetros de distância. Essa é a posição "de perto".
13. Mova-se um pouco para a frente, segure a mão direita do parceiro nas suas e levante-a. A seguir, segure a parte superior da manga direita dele com sua mão esquerda e prenda o braço dele sob o seu.
14-15. Enquanto gira o corpo para a esquerda, coloque o joelho direito contra a axila direita do parceiro e passe a mão direita sob a axila esquerda dele, colocando-a no ombro direito dele. Abaixe-se sobre seu quadril direito e pressione o lado direito de seu peito sobre o lado direito do peito dele. Ao mesmo tempo, estenda sua perna esquerda para trás, dobrando o joelho, e firme os dedos do pé no tatame. Estenda a perna direita para a frente, com o joelho dobrado.
16. Aplique a pegada, puxando com força com a mão esquerda.
17. Seu parceiro simula tentativas de escapar de várias maneiras, tais como colocar o braço dele em volta da sua cintura e tentar rolar você para trás, ou introduzir o joelho direito entre seus corpos, ou se dobrar e empurrar você para a frente. Após alguns momentos, ele pára de se mover e sinaliza a derrota. Solte-o e retorne para a posição de perto, depois para a posição de longe.

Kata-gatame — Prender com o ombro e pescoço

18. Avance para a posição de perto e, a partir dela, mova-se um pouco mais para a frente e levante o braço do parceiro com ambas as mãos.

19. Empurre-lhe o braço contra a orelha direita, com sua mão direita no cotovelo e a esquerda no ombro.

20. Mova o joelho direito para a frente e pressione-o contra o lado direito do parceiro. O dorso do seu pé direito deve estar fora do tatame.

21. Passe sua mão direita sobre o ombro esquerdo dele, depois por baixo do pescoço até o ombro direito. Pressione o braço direito do parceiro contra a têmpora direita dele, colocando a sua têmpora contra o braço direito dele, e segure suas mãos uma na outra, palma contra palma. Estenda então sua perna esquerda, firmando os dedos do pé no tatame. Aperte para aplicar a pegada.

22-24. Seu parceiro tenta escapar, por exemplo, juntando as mãos e empurrando com os cotovelos para afrouxar sua pegada, ou torcendo-se para a direita e passando o joelho direito sob seu quadril, ou rolando para trás sobre o ombro esquerdo. Após alguns segundos, ele sinaliza que está derrotado. Solte sua pegada, retorne para a posição de perto e depois para a posição de longe.

Kami-shiho-gatame   Aprisionamento da parte superior pelos quatro pontos

25.

26.

27.

28.

29.

30.

25. Mova-se para a posição de longe, acima da cabeça de seu parceiro, depois se mova para a posição de perto.
26. Aproxime-se, abaixe o joelho direito e passe suas mãos sob os ombros dele.
27. Segure a faixa dele por ambos os lados e prenda-lhe os braços em seus cotovelos, então pressione seu peito sobre o dele, fazendo com que ele vire a cabeça para um dos lados. Aplique a pegada, abaixando os quadris.

28-30. Seu parceiro tenta escapar, por exemplo, juntando as mãos, empurrando sua cabeça para um dos lados e girando para o lado; ou introduzindo os braços entre seus corpos e girando para o lado; ou empurrando você para cima e passando os joelhos ou os pés entre seus corpos. Incapaz de escapar, ele sinaliza que está derrotado e você retorna para a posição de perto, depois para a posição de longe, acima da cabeça dele.

OSAE-KOMI-WAZA 167

Yoko-shiho-gatame

31.

32.

33.

Kuzure-kami-shiho-gatame   Variação do aprisionamento da parte superior pelos quatro pontos

37.

38.

39.

40.

41.

42.

43.

44.

37. Mova-se para a posição de longe, sobre a cabeça de seu parceiro, depois se mova para a posição de perto. Aproxime-se um pouco mais, até que seu pé direito esteja perto do ombro direito dele.
38. Com a mão direita, pegue o braço direito dele por dentro e levante-o, depois troque as mãos, segurando-o com a mão esquerda.
39. Levante o joelho direito e passe sua mão direita sob as costas do parceiro, a partir da axila direita, e segure a parte posterior da gola dele. Prenda-lhe o braço direito com força contra a sua coxa.
40. Passe a mão esquerda por baixo do ombro esquerdo dele e segure-lhe a faixa pelo lado esquerdo.

Aplique a pegada, abaixando o quadril e pressionando o peito contra o lado direito do peito dele.
41-44. Seu parceiro tenta escapar de várias maneiras, tais como: empurrar a lateral de sua cabeça com a mão esquerda, girar para a direita e livrar o braço direito; puxar o joelho esquerdo e colocá-lo entre seus corpos; ou segurar sua faixa por trás e rolar você para a frente. Incapaz de escapar, ele sinaliza a derrota.

Você solta a pegada e retorna para a posição de perto, depois para a de longe. Enquanto isso, seu parceiro se senta, colocando a mão direita no tatame, atrás do quadril direito. Apoiando-se na mão direita e no pé esquerdo, ele levanta o quadril, gira para a direita e leva a perna direita para trás, terminando na postura alta de joelhos, de frente para você.

Pegada lateral pelos quatro cantos

34.

35.

36.

31. Vá para a posição de longe, pelo lado direito do parceiro, depois se mova para a posição de perto. Aproxime-se um pouco mais, pegue a mão direita dele com as duas mãos e abaixe-a para seu lado esquerdo. Aproxime-se ainda mais e coloque o joelho esquerdo contra a axila direita dele. O dorso de seu pé direito deve estar afastado do tatame.
32. Segure com a mão esquerda o lado direito da faixa do parceiro e abaixe o joelho direito. Passe a mão direita entre as pernas dele e segure-lhe o lado esquerdo da faixa.
33. Ponha a mão esquerda sob o pescoço do parceiro e segure-lhe a gola esquerda. Pressione o joelho esquerdo contra a axila direita dele e o joelho direito contra o quadril direito, então gire sua cabeça para a esquerda e aplique a pegada.
34-36. Seu parceiro tenta escapar de várias maneiras, tais como: empurrar sua cabeça para trás com a mão esquerda e enganchá-la com a perna esquerda, girar para a direita dele e passar o joelho direito sob você; ou segurar a parte posterior de sua faixa com a mão esquerda e rolar você para a frente. Sem ter sucesso, ele sinaliza que está derrotado e você solta a pegada, retornando para a posição de perto, depois para a posição de longe.

Shime-waza

Kata-juji-jime

Meia chave de estrangulamento cruzada combinada

45.

46.

47.

48.

49.

45. Mova-se para a posição de longe, pelo lado direito do parceiro, depois avance para a posição de perto.
46. Aproxime-se do parceiro, pegue a mão direita dele com as duas mãos e abaixe-a para o seu lado esquerdo. Aproxime-se mais e pegue-lhe a parte superior da gola, pelo lado esquerdo, com sua mão esquerda (o polegar pelo lado de fora).
47. Empurre o braço esquerdo dele com a mão direita e monte sobre ele, apertando e controlando o corpo dele com suas pernas.
48. Pegue a parte superior da gola do parceiro, pelo lado direito, com sua mão direita (o polegar pelo lado de dentro). Seus dois pulsos devem estar contra o pescoço dele.
49. Aplique o estrangulamento, curvando-se para a frente, puxando com a mão esquerda e empurrando com a direita.

Seu parceiro tenta escapar, empurrando seus braços, então sinaliza a derrota. Retorne para a posição de perto, depois para a posição de longe.

Hadaka-jime

50.

51.

Okuri-eri-jime   **Chave deslizante de gola**

54.   55.

56.   57.

54. Mova-se para perto de seu parceiro.
55. Passe a mão esquerda sob a axila esquerda dele e puxe para baixo a gola esquerda dele.
56. Passe a mão direita em volta do pescoço dele e segure a parte superior da gola esquerda. Segure-lhe a gola direita com a mão esquerda, coloque sua bochecha direita contra a bochecha esquerda dele e pressione-lhe a nuca com a frente de seu ombro direito.

57. Abaixe seu corpo, puxando a perna esquerda para trás, e desequilibre-o para trás. Aplique o estrangulamento, colocando pressão sobre o pescoço dele com sua mão direita, enquanto puxa para baixo com a esquerda e torce com a direita.

Seu parceiro tenta escapar, empurrando seu braço direito com as mãos, e sinaliza que está derrotado. Solte a pegada e retorne para a posição de perto, atrás dele.

Chave de estrangulamento sem usar o judogi

52.   53.

50. Seu parceiro se senta e dobra até a metade a perna esquerda. A perna direita está um pouco dobrada. Mova-se para a posição de longe, atrás dele.
51. Prossiga para a posição de perto.
52. Mova-se para a frente até ficar diretamente atrás dele. Coloque o braço direito em volta do pescoço do parceiro e segure suas mãos, uma na outra, sobre o ombro esquerdo dele, pressionando-lhe a garganta com o pulso direito (pelo lado do polegar). Coloque sua bochecha direita contra a bochecha esquerda dele.
53. Abaixe seu corpo, puxando a perna esquerda para trás, e desequilibre o parceiro para trás. Aumente a pressão contra o pescoço dele.

Seu parceiro tenta escapar, empurrando seu braço direito com as mãos, e sinaliza que está derrotado. Libere-o e retorne para a posição de perto, atrás dele.

Kata-ha-jime   ## Chave com um braço na nuca

58.   59.   60.

61.   62.

58. Mova-se para perto de seu parceiro.
59. Passe sua mão sob a axila esquerda dele e puxe para baixo a gola esquerda. Passe a mão direita em volta do pescoço dele e segure a parte superior da gola esquerda.
60. Enquanto o desequilibra para trás, levante seu braço esquerdo, empurrando junto o braço esquerdo do parceiro.
61. Ponha a palma da mão esquerda, com os dedos esticados, na nuca do parceiro.

62. Mova seu pé direito e também o corpo um pouco para a direita. Puxe com a mão direita para aplicar o estrangulamento.

Seu parceiro tenta escapar, segurando o próprio pulso esquerdo com a mão direita e levantando o braço esquerdo, então sinaliza que está derrotado. Solte a pegada e retorne para a posição de perto, depois para a de longe.

SHIME-WAZA   171

Gyaku-juji-jime — **Chave cruzada reversa**

63.

64.

65.

66.

67.

68.

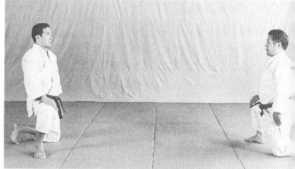
69.

63. Enquanto, novamente, seu parceiro está deitado, mova-se para a posição de longe, à direita dele, e depois para a de perto.

64. Mova-se para perto dele, segure-lhe o braço direito com ambas as mãos e coloque-o no tatame, à sua esquerda.

65. Aproxime-se mais e segure a parte superior esquerda da gola dele com a mão esquerda (o polegar para fora).

66. Com a mão direita, empurre o braço esquerdo do parceiro para longe de você e monte sobre o corpo dele, controlando-lhe os movimentos com as pernas. Segure a parte superior direita da gola dele com a mão direita (polegar para fora).

67. Empurre-o com ambas as mãos e curve-se para a frente a fim de aplicar o estrangulamento.

68. Seu parceiro tenta escapar, empurrando seu cotovelo esquerdo, por cima, com a mão direita, e seu cotovelo direito, por baixo, com a mão esquerda. Role para o lado esquerdo e cruze as pernas nos tornozelos, prendendo o corpo dele com firmeza entre suas pernas. Continue a aplicar a técnica. Incapaz de se libertar, seu parceiro sinaliza que está derrotado.

69. Solte sua pegada, retorne para a posição de perto e depois para a de longe. Seu parceiro se senta e assume a postura alta de joelhos, de frente para você.

172   KATAME NO KATA

Kansetsu-waza

Ude-garami — Chave de braço

70.

71.

72.

73.

74.

70. Mova-se para a posição de perto.
71. Mova-se para mais perto de seu parceiro e, com ambas as mãos, segure-lhe o braço direito e coloque-o à sua esquerda; depois se aproxime ainda mais.
72. Ele tenta segurar a sua gola esquerda com a mão esquerda. Segure-lhe o pulso esquerdo com sua mão esquerda (o polegar para baixo).
73. Coloque seu joelho direito no chão, então dobre o braço esquerdo dele em ângulo reto e pressione-o contra o tatame, próximo do ombro.

74. Passe sua mão direita por baixo do ombro esquerdo dele e segure, por cima, seu próprio pulso esquerdo. Ponha pressão no cotovelo, puxando o pulso dele em sua direção e, ao mesmo tempo, pressionando seu peito contra o dele.

Incapaz de se libertar, seu parceiro sinaliza que está derrotado. Libere o braço dele e retorne para a posição de perto, à direita dele.

Ude-hishigi-juji-gatame — Chave de braço cruzada

75. Mova-se para a frente a fim de atacar seu parceiro.
76. Ele tenta segurar a sua gola esquerda com a mão direita.
77. Pegue-lhe o pulso direito com as duas mãos (a mão direita por cima da esquerda), eleve-o e mova seu pé direito contra a axila direita dele.
78. Curve-se para a frente e passe seu pé esquerdo, formando um arco, sobre a cabeça do parceiro e ponha a sola do pé no tatame, acima do ombro esquerdo dele. Prenda a parte superior do braço direito dele entre suas coxas.
79. Sente-se perto de seu calcanhar direito e deite-se para trás. Enquanto controla a cabeça do parceiro com a perna esquerda, junte os joelhos e levante o quadril para colocar pressão sobre o cotovelo direito dele.

Incapaz de se libertar, seu parceiro sinaliza que está derrotado. Libere o braço dele e retorne para a posição de perto.

75.

76.

77.

78.

79.

Ude-hishigi-ude-gatame

80.

81.

82.

Ude-hishigi-hiza-gatame   Chave de braço com o joelho

86.

87.

88.

89.

90.

91.

92.

94.

93.

86. Você e seu parceiro avançam para a posição de perto.
87. Ambos se aproximam e fazem a pegada básica pelo lado direito.
88-89. Solte sua mão esquerda da manga direita do parceiro. Passe-a por baixo e para trás do braço direito dele, colocando a palma no lado externo do braço dele, um pouco acima do cotovelo. Prenda o pulso direito dele em sua axila esquerda.
90. Desequilibre-o para a frente com ambas as mãos.

91. Ponha os dedos do seu pé direito na articulação do quadril esquerdo do parceiro e caia para trás.
92. Ao cair, ponha o pé esquerdo na parte posterior do quadril direito dele.
93. Pressione o lado interno de seu joelho esquerdo contra sua mão esquerda e gire os quadris para a direita a fim de aplicar a chave.

Seu parceiro tenta libertar o braço esquerdo, mas incapaz de se libertar, sinaliza que está derrotado.
94. Libere o braço dele e retorne para a posição de perto. Seu parceiro se senta e fica na postura alta de joelhos, de frente para você.

Chave de braço

83.

84.

85.

80. Avance, segure o braço direito do parceiro com ambas as mãos e deite-o no tatame, à sua direita. Continue a se aproximar, como se fosse atacá-lo.
81. Ele tenta alcançar o lado direito de sua gola com a mão esquerda. Abaixe seu corpo e prenda-lhe o pulso esquerdo, entre seu pescoço e seu ombro direito.
82. Coloque a palma da sua mão direita sobre o cotovelo esquerdo do parceiro e ponha sua mão esquerda sobre a direita. Pressione a canela direita contra a parte inferior das costelas dele, enquanto lhe controla o braço.

83. Gire para a esquerda e pressione contra o cotovelo dele. Seu parceiro tenta escapar, libertando o braço esquerdo. Incapaz de se libertar, ele sinaliza que está derrotado.
84. Libere o braço dele e retorne para a posição de perto, depois para a de longe.
85. Mova-se para a posição de longe, acima da cabeça do parceiro. Ao mesmo tempo, ele se senta, vira-se e fica de frente para você, na postura alta de joelhos.

Ashi-garami   Chave de perna

95.

96.

97.

98.

100.

99.

95. Você e seu parceiro se levantam, aproximam-se um do outro e seguram-se com a pegada básica.
96. Desequilibre-o para a frente com ambas as mãos, ponha o pé da frente entre as pernas dele, caia para trás e coloque a sola do pé direito no baixo abdome do parceiro, como se fosse fazer um *tomoe-nage*.
97. Ele bloqueia o arremesso, avançando com o pé direito, e tenta levantar você.
98. Vire o quadril para a direita, empurre o lado interno do joelho esquerdo do parceiro com seu pé direito, e puxe-o para a frente. Enganche, por cima, sua perna esquerda sobre a direita dele e force seu pé esquerdo contra o lado direito do baixo abdome dele, então gire o quadril para a direita.
99. Estique a perna esquerda e puxe com ambas as mãos para aplicar a chave.
    Seu parceiro tenta escapar, girando para a esquerda, e depois se rende.
100. Libere o braço dele. Vocês se sentam e ficam na postura alta de joelhos, de frente um para o outro.

KANSETSU-WAZA   175

101.   102.
103.   104.
105.   106.

Concluindo o *ashi-garami*, recue dois passos, para a posição de longe. Seu parceiro recua um passo, para a posição inicial dele. Vocês ficam de frente um para o outro, na postura alta de joelhos (Fig.101-3). Depois, ambos ficam de pé, na postura natural básica (Fig. 104). Ao mesmo tempo, vocês dão um passo para trás com o pé direito e fazem a reverência de joelhos (Fig. 105). Então ambos se levantam, viram-se de frente para o *joseki* e terminam fazendo a reverência em pé (Fig. 106).

14. Kime no Kata

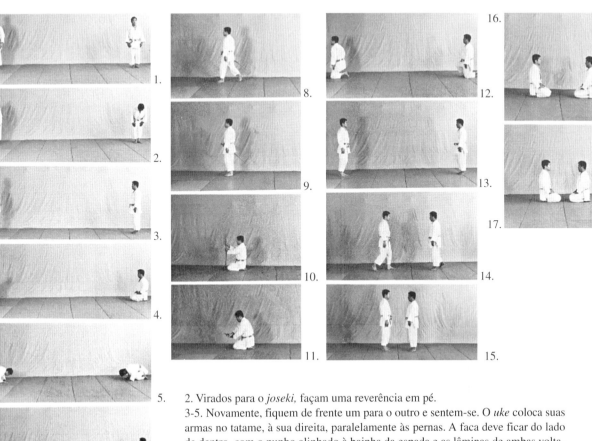

5. 2. Virados para o *joseki,* façam uma reverência em pé.
3-5. Novamente, fiquem de frente um para o outro e sentem-se. O *uke* coloca suas armas no tatame, à sua direita, paralelamente às pernas. A faca deve ficar do lado de dentro, com o punho alinhado à bainha da espada e as lâminas de ambas voltadas para o *uke*. Vocês fazem uma reverência.
6-7. O *uke* pega então as armas com a mão direita e fica de pé.
6. 8-11. Ele se vira, anda 1,8 metro, se senta e segura as armas verticalmente em sua frente, com as lâminas voltadas para ele. Colocando a mão esquerda na espada, ele deposita as armas no tatame. Novamente, a faca deve estar no lado de dentro e as lâminas de ambas voltadas para ele. Os punhos devem estar na direção do *joseki*.
12-13. Você e o *uke* se levantam, e então ele retorna à posição anterior, de frente para você.
14-17. Juntos, vocês dão um passo à frente, começando com o pé esquerdo, e
7. param na postura natural básica. Depois se aproximam, até 90 centímetros um do outro, param e se sentam. Avançam até uma distância de dois punhos (a posição *hiza-zume*), colocando os punhos no tatame e puxando o corpo para a frente.

As vinte técnicas do *Kime no Kata* aparecem listadas na Tabela III, na p. 150.
Para iniciar o *kata*, você e seu parceiro ficam de frente um para o outro, a 5,4 metros de distância. Você fica à direita, quando visto do *joseki*. Seu parceiro segura uma espada e uma faca na mão direita (a espada pelo lado externo), com as lâminas apontando para cima. O punho da faca deve estar alinhado com a bainha da espada (Fig. 1).

Idori

Ryote-dori — Pegada com as duas mãos

18.

19.

20.

21.

22.

23.

24.

25.

18. Coloque as mãos naturalmente sobre as coxas, com os dedos apontando para dentro.
19. Seu parceiro grita, levanta-se sobre os pés e segura seus pulsos, com os polegares por dentro.
20. Junte os joelhos e puxe as mãos para trás e por fora. Ao desequilibrar o parceiro para a frente, levante o quadril e fique na ponta dos pés.
21. Grite e chute-o no plexo solar com a frente da sola do pé.
22. Abaixe o joelho direito e libere a mão esquerda. Segure o pulso esquerdo do parceiro, por baixo, com sua mão direita (polegar por dentro) e gire para sua esquerda.
23-24. Levante o joelho esquerdo, leve o braço dele para a frente e pegue o pulso, por baixo, com a mão esquerda. Prenda o braço esquerdo dele em sua axila direita e, enquanto o puxa para a frente, aplique-lhe pressão no cotovelo. Esta chave de braço se chama *waki-gatame*.
25. Seu parceiro bate duas vezes em você ou no tatame para indicar que se rendeu.

Tsukkake — **Soco no estômago**

26. 27. 28.

29. 30.

31. 32. 33.

26. Retornem à posição *hiza-zume* e sentem-se naturalmente.
27. Seu parceiro levanta o quadril, apoiando-se nos dedos dos pés, grita e soca você no plexo solar com o punho direito.
28. Desvie-se do soco, ficando na ponta dos pés, girando para a direita sobre seu joelho esquerdo e levantando o joelho direito.
29. Segure-o pela manga direita com sua mão esquerda e puxe o braço para a frente. Ao mesmo tempo, grite e soque-o entre os olhos com o punho direito.
30. Imediatamente, segure o punho direito do parceiro, por cima, com sua mão direita (polegar virado para você), puxe o braço em direção ao seu quadril direito e segure-o contra sua coxa.
31. Passe a mão esquerda em volta do pescoço dele e segure-lhe a parte superior da gola direita a fim de aplicar um estrangulamento.
32. Aplique uma chave de braço (*hara-gatame*) no cotovelo direito do parceiro, empurrando-o com a parte de baixo de seu abdome.
33. Seu parceiro se rende ao bater duas vezes no tatame.

IDORI 179

Suri-age — Golpe contra a testa

34. 35. 36. 37.

34. Retorne à posição *hiza-zume*.
35. Seu parceiro levanta o quadril, apóia-se sobre os dedos dos pés, grita e tenta golpear sua testa com a palma da mão direita, num esforço para empurrar sua cabeça.
36. Curve-se um pouco para trás e gire levemente para sua esquerda, enquanto eleva os quadris e apóia-se sobre os dedos dos pés. Desvie o golpe, segurando por cima o pulso direito dele com a mão direita (a palma distante de você).
37. Ponha a palma da sua mão esquerda no ombro direito do parceiro e desequilibre-o para a frente com ambas as mãos.
38. Ao mesmo tempo, chute-o no plexo solar com a parte da frente da sola do pé direito.
39. Imediatamente gire para a direita sobre o joelho esquerdo e coloque o joelho direito no tatame. Puxe o parceiro para a frente com ambas as mãos.
40. Gire-o com o rosto para baixo. A palma da mão direita dele se vira para baixo. Enquanto empurra com sua mão esquerda e puxa com a direita, avance com o joelho esquerdo e depois com o direito.
41. Abaixe o quadril e ponha seu joelho esquerdo na parte de trás do cotovelo do parceiro. Aplique uma chave de braço, puxando com a mão direita.

Yoko-uchi — Golpe lateral

42. 43. 44. 45.

46. 47.

42. Retorne à posição *hiza-zume*.
43. Seu parceiro levanta os quadris, apoiando-se sobre os dedos dos pés, grita e golpeia sua têmpora esquerda com o punho direito.
44. Levante os braços e o joelho direito, evitando o golpe ao se mover para o lado direito dele.
45. Apoiando-se nos dedos dos pés e avançando com o pé direito, segure o parceiro, como num *kata-gatame*.
46-47. Pressione a mão esquerda contra a parte posterior do quadril direito dele e empurre-o para trás, em direção à diagonal direita dele.
48. Com a mão esquerda, pressione o cotovelo direito do parceiro, erga-se sobre os joelhos e levante a mão direita, com os dedos juntos.
49. Com o cotovelo direito, golpeie o plexo solar dele.
Você e o parceiro sentam-se a uma distância de 1,2 metro, de frente um para o outro.

48. 49.

38. 39. 40. 41.

Ushiro-dori   Segurando por trás

50-52. Seu parceiro se levanta, caminha para trás de você, pelo seu lado direito, parando a um passo, diretamente atrás de você.
53. Ele se senta e avança até que os joelhos dele estejam a 20 centímetros de seus quadris.
54. A seguir, ele levanta o joelho direito e se apóia sobre os dedos dos pés, deita a cabeça um pouco para a esquerda, grita e passa os braços em volta dos seus ombros. Você reage, levantando os braços para os lados.

55. Com sua mão direita, mantenha os braços dele presos a você. Segure a manga esquerda dele, na parte mais alta que puder, com sua mão esquerda, levante os quadris e apóie-se sobre os dedos dos pés.
56. Passe a perna esquerda para trás, entre as pernas dele.
57-58. Role para a esquerda, como se fizesse um *seoi-nage*.
59-60. Enquanto controla o parceiro, com seu braço direito na axila direita dele, grite e golpeie-o na virilha com seu punho esquerdo.

IDORI   181

Tsukkomi — Ataque com faca em direção ao estômago

69-71. Seu parceiro se senta, com as armas à frente, e coloca a faca (lâmina para cima) dentro do blusão, acima da faixa.

72-75. Ele retorna então à posição em frente a você, senta-se e fica na postura *hiza-zume*.

76. Tirando a faca de dentro do blusão com a mão esquerda, ele desembainha-a com a direita.

77. Levantando o quadril e se apoiando sobre os dedos dos pés, seu parceiro avança com o pé esquerdo, grita e tenta golpear você no plexo solar.

78. Gire para a direita sobre o joelho esquerdo, apóie-se sobre os dedos dos pés e levante o joelho direito. Afaste o golpe com seu braço esquerdo e desequilibre o parceiro para a frente.

79. Ao mesmo tempo, grite e soque-o entre os olhos com o punho direito.

80. Imediatamente, segure por cima o punho direito dele com a mão direita, puxe-o em direção ao seu quadril direito e segure-o contra sua coxa direita.

81. Passe a mão esquerda pelo pescoço do parceiro e segure-lhe a parte superior da gola direita. Aplique um estrangulamento.

82. Simultaneamente, aplique um *hara-gatame* contra o braço direito dele, empurrando seu baixo abdome para a frente.

Retornem à posição sentada. Seu parceiro recoloca a faca dentro do blusão.

67.　　　　　68.

61-65. Após completar o *ushiro-dori*, seu parceiro retorna à posição sentada, atrás de você, então se levanta e caminha pelo seu lado direito, parando a 1,2 metro na sua frente.

66-68. Depois, na posição sentada, ele faz uma reverência, levanta-se novamente, vira-se e vai pegar a faca.

Kirikomi   Corte para baixo

83.　　　　84.　　　　85.　　　　86.

87.　　　　88.

89.　　　　90.

91.

92.

93.

83. Com a mão direita, seu parceiro pega a faca embainhada de dentro do blusão, transfere-a para a mão esquerda e segura-a ao lado esquerdo do corpo.
84. Ele solta a faca da bainha com o polegar esquerdo e retira-a com a mão direita.
85. Levantando o quadril e se apoiando sobre os dedos dos pés, seu parceiro avança com o pé direito, grita e tenta golpear o topo de sua cabeça.
86. Gire para a direita sobre seu joelho esquerdo, apóie-se sobre os dedos dos pés e recue um passo com o pé direito. Ao mesmo tempo, levante os braços e agarre o pulso direito dele com sua mão direita.
87. Ponha sua mão esquerda sobre o punho dele.
88. Desequilibre-o para a frente.
89. Prenda o braço direito dele em sua axila esquerda.
90. Gire para sua direita a fim de aplicar o *waki-gatame*.
91-93. Após se render, seu parceiro retorna à posição original, coloca a faca na bainha e guarda-a dentro do blusão.

IDORI　183

Yoko-tsuki

94.   95.   96.   97.

94-96. Seu parceiro se levanta, vai para seu lado direito e se senta perto de você, a uma distância de cerca de dois punhos.

97. Ele pega a faca de dentro do blusão com a mão esquerda e desembainha-a com a direita.

98. Erguendo-se sobre os dedos dos pés, seu parceiro avança com o pé esquerdo, grita e tenta golpear você pelo lado direito. A lâmina da faca está virada para cima.

99. Apóie-se sobre os dedos do pé esquerdo, gire 180 graus para a direita, sobre seu joelho esquerdo, e levante o joelho direito. Afaste o braço dele na altura do cotovelo, com a palma de sua mão esquerda, e desequilibre-o para a frente. Ao mesmo tempo, grite e soque-o entre os olhos com o punho direito.

100-01. Imediatamente, segure por cima o pulso direito do parceiro com sua mão direita, puxe o braço dele em direção ao seu quadril direito e segure-o contra a coxa direita.

102-04. Passe a mão esquerda pelo pescoço dele e segure-o pela parte superior da gola direita. Aplique um estrangulamento, enquanto aplica um *hara-gatame* contra o braço direito dele.

105.   106.   107.

  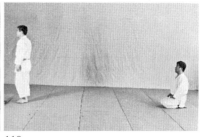

108.   109.   110.

105-07. Você e seu parceiro retornam para as posições iniciais, próximos um do outro. Seu parceiro recoloca a faca dentro do blusão, levanta-se e depois se senta, virado em sua direção, a 90 centímetros de distância.

108-11. Ele então se levanta, vira-se e caminha para o lugar onde está a espada. Ele se ajoelha e recoloca a faca em sua posição original.

111.

184   KIME NO KATA

Golpe pela lateral

98. 99. 100. 101.

102. 103. 104.

Tachiai

Ryote-dori — Pegada com as duas mãos

112. 113. 114. 115.

116. 117. 118. 119.

112-14. Você e seu parceiro se levantam, depois ele vira-se e se aproxima até uns 90 centímetros de você.

115-16. Ele grita, avança com o pé direito e segura seus dois pulsos.

117-18. Desequilibre-o, puxando-o para a frente e para fora com seus braços, grite e chute-o na virilha com a frente da sola do pé direito. Abaixe esse pé imediatamente.

119. Segure por baixo o pulso esquerdo do parceiro com sua mão direita (polegar para dentro) e levante o braço. Ao mesmo tempo, solte sua mão esquerda, gire e dê um passo para a esquerda, e puxe o braço esquerdo dele na sua frente.

120-21. Também ponha sua mão esquerda no pulso dele, prenda-lhe o braço na sua axila direita e aplique um *waki-gatame*.

120. 121.

TACHIAI 185

Sode-tori

122.   123.   124.

122-25. Seu parceiro caminha para trás de você, pela direita, e permanece na sua retaguarda, no canto esquerdo.

126. Com a mão esquerda, ele segura por trás o meio da sua manga esquerda, depois a segura com a mão direita e solta a esquerda. Ele gira e empurra seu braço a fim de forçar você a andar para a frente. Avance um passo com o pé direito, depois com o esquerdo.

127. No terceiro passo, avance para a sua direita a fim de desequilibrá-lo nessa direção.

128. Grite e chute o joelho direito dele com a lateral de seu pé esquerdo.

129. Imediatamente, abaixe o pé esquerdo, perto do pé direito dele, e gire 180 graus para a sua esquerda.

130-33. Com a mão esquerda, segure por dentro a manga direita do parceiro e, com a mão direita, segure a gola esquerda dele, então o arremesse com um *osoto-gari* pela direita.

129.

Tsukkake   Soco na direção do rosto

134.   135.   136.

137.   138.   139.   140.

134. Vocês se levantam e encaram-se, a uma distância de 2,4 metros.

135. Seu parceiro avança um grande passo com o pé esquerdo, levanta o punho esquerdo até a altura dos olhos e mantém o punho direito na altura do estômago, pronto para socar você com a mão esquerda.

136. Repentinamente, ele se lança para a frente com o pé direito, grita e tenta socar você entre os olhos com o punho direito.

137. Com o pé esquerdo, avance um passo para a sua diagonal esquerda e gire para a direita a fim de evitar o golpe. Segure por cima o antebraço dele com a mão direita e puxe-o para a frente e para baixo, desequilibrando o parceiro para a frente.

138. Quando ele tentar se reequilibrar, dê um passo para trás dele com seu pé direito, depois com o esquerdo.

139. Passe o braço direito em volta do pescoço dele e puxe-o para trás.

140. Segure suas mãos sobre o ombro esquerdo dele, como no *hadaka-jime*.

141. Puxe o pé esquerdo para trás e aplique o estrangulamento.

141.

Pegada pela manga

 125.
 126.
 127.
 128.

 130.
 131.
 132.
 133.

Tsukiage   Soco *"Uppercut"*

 142.
 143.
 144.

 145.
 146.
 147.
 148.

142. Vocês ficam de pé, frente a frente, a uma distância de 90 centímetros.
143. Seu parceiro avança um passo com o pé direito, grita e tenta acertar um *uppercut*, pelo lado direito, em seu rosto.
144-45. Curve-se para trás, segure o punho dele com ambas as mãos e puxe-o para cima.
146. Gire para a direita.
147. Prenda o braço dele em sua axila esquerda.
148-49. Aplique um *waki-gatame*.

 149.

Suri-age

150. 151. 152. 153.

Yoko-uchi — **Golpe lateral**

158. 159. 160. 161.

162. 163. 164.

158. Vocês ficam de pé, frente a frente, a uma distância de 90 centímetros.
159. Seu parceiro avança um passo com o pé direito, grita e, com o punho direito, tenta socar você na têmpora esquerda.
160. Evite o soco, curvando-se para a frente e dando um passo com o pé esquerdo. Ao fazer isso, segure a gola esquerda do parceiro com sua mão direita.
161. Dê um passo para trás dele com o pé direito, depois com o esquerdo.
162. Passe a mão esquerda pelo pescoço dele e segure-lhe a parte superior da gola direita.
163. Pressione a testa contra a parte posterior da cabeça dele, então o puxe para trás, recuando um passo com seu pé esquerdo e abaixando os quadris, e lhe aplique um *okuri-eri-jime*.
164-65. Ele tenta se defender, empurrando seu cotovelo esquerdo para baixo com ambas as mãos. Incapaz de escapar da pegada, ele assinala que está derrotado.

165.

Golpe contra a testa

154. 155. 156. 157.

150. Vocês ficam de pé, frente a frente, a uma distância de 90 centímetros.
151. Seu parceiro avança um passo com o pé direito, grita e tenta socar você na testa com a palma da mão direita (dedos esticados e juntos).
152. Curve-se para trás e evite o soco, empurrando seu antebraço esquerdo contra o cotovelo dele.
153. Ao mesmo tempo, grite e soque-lhe o plexo solar com o punho direito.
154-57. Imediatamente, ponha o pé esquerdo na frente do pé esquerdo dele, leve o pé direito para trás e arremesse o parceiro com um *uki-goshi* pela esquerda.

Keage

166.

167.

170.

168.

Chute na virilha

172.

173.

171.

166. Fiquem em pé, frente a frente, a uma distância de 90 centímetros.
167-68. Seu parceiro avança um pequeno passo com o pé esquerdo, grita e tenta chutar você na virilha com a frente da sola do pé direito.
169-70. Recue um passo com o pé direito e gire para a direita. Com a mão esquerda, segure por baixo o tornozelo do parceiro.
171. Coloque a mão direita no tornozelo dele e puxe-lhe a perna para a sua esquerda.
172-73. Gire os quadris para a esquerda, grite e chute-o na virilha com o pé direito.

Ushiro-dori

 174.  175. 176.   177.

 181.  182.  183.

174. Vocês ficam em pé, frente a frente, a uma distância de 90 centímetros.

175-77. Seu parceiro caminha para trás de você, pelo seu lado direito, parando a 75 centímetros, diretamente atrás de você.

178-79. Ambos avançam um passo com o pé esquerdo, então ele avança um passo com o pé direito e segura você pela parte superior de seus braços.

180-81. Imediatamente, mova os cotovelos para fora e segure a parte superior da manga direita dele com ambas as mãos.

182-83. Ajoelhe-se sobre o joelho direito, com o dorso do pé afastado do tatame, e arremesse o parceiro com um *seoi-nage*.

184-85. Grite e golpeie-o entre os olhos com a "faca" da mão direita.

186.

188.

187.

189.

186-90. Levantem-se juntos. Seu parceiro vai apanhar a faca, como já havia feito, retorna e permanece a cerca de 90 centímetros, em frente a você.

190   KIME NO KATA

190.

Segurando por trás

178.

179.

180.

184.

185.

Tsukkomi   Ataque com faca em direção ao estômago

191.

193.

195.

192.

194.

196.

197.

198.

191. Fiquem em pé, frente a frente, a uma distância de 90 centímetros.
192. Tirando a faca de dentro do blusão com a mão esquerda, ele desembainha-a com a direita. Ele avança com o pé esquerdo, grita e tenta golpear seu estômago.
193. Mova para trás o pé direito, gire para a direita e, com sua mão esquerda, afaste o braço direito dele, na altura do cotovelo. Grite e golpeie o parceiro entre os olhos com o punho direito.
194. Imediatamente, segure por cima o punho direito dele com sua mão direita e puxe-o em direção ao seu quadril direito.
195. Segure o punho dele contra sua coxa direita, desequilibrando-o.
196. Passe a mão esquerda em volta do pescoço dele, segure-lhe a parte superior da gola direita e avance com o pé direito, depois com o esquerdo.
197-98. Continue para a frente com o pé direito, aplicando, ao mesmo tempo, um estrangulamento e uma chave *hara-gatame*.

Kirikomi

199.

200.

201.

199. Vocês ficam frente a frente, a uma distância de 90 centímetros.
200. Seu parceiro tira a faca de dentro do blusão com a mão direita e prende-a no lado esquerdo da faixa.
201. Ele fica novamente em posição natural.
202. A seguir, ele solta a faca da bainha com o polegar esquerdo e retira-a com a mão direita.
203. Ele avança com o pé direito, grita e tenta golpear o topo de sua cabeça.

204. Curve-se para trás e segure o pulso direito dele com ambas as mãos.
205. Mova seu pé direito um pouco para trás e gire para a direita.
206. Coloque seu pé esquerdo na frente do pé direito dele, empurre-o para baixo, em direção ao canto frontal direito dele, e prenda-lhe o braço em sua axila esquerda.
207. Aplique um *waki-gatame*.

208.

209.

210.

211.

212.   213.

214.

215.

216.

217.

208-09. De novo, fiquem frente a frente. Seu parceiro recoloca a faca na bainha e prende-a no lado esquerdo da faixa.
210. Depois a recoloca dentro do blusão.
211-17. Ele se vira e caminha para o lugar onde está a espada, então se ajoelha, põe a faca em sua posição original, pega a espada e passa-a pelo lado esquerdo da faixa, com o gume para cima. Depois retorna e pára a 1,5 metro, em frente a você.

Corte para baixo

202.

203.

204.

205.

206.

207.

Nuki-kake   Quase desembainhando a espada

218.

219.

220.

221.

222.

223.

224.

225.

226.

218. Seu parceiro coloca a mão direita no punho da espada.
219-20. Ele avança um passo com o pé direito e tenta sacá-la.
221. Avance para perto do pé direito dele com seu pé direito, e coloque sua mão direita, por cima, sobre o pulso direito dele.
222. Imediatamente dê um passo para trás dele com o pé direito.
223. Leve seu pé esquerdo, em círculo, por trás do parceiro e passe a mão esquerda pelo pescoço dele, segurando-lhe a parte superior da gola direita.
224. Transpasse a axila direita do parceiro com o braço direito, com a palma da mão para cima.
225. Levante a mão direita e coloque-a na nuca dele.
226. Recue um passo com o pé esquerdo, desequilibrando o parceiro para trás, em direção à diagonal esquerda dele, e aplique um *kata-ha-jime*.

Kirioroshi   **Corte para baixo**

227.

228.

229.

230.

231.

232.

233.

234.

235.

236.

227. Você e seu parceiro ficam em pé, de frente um para o outro, a uma distância de 2,5 metros.

228. Seu parceiro avança um passo com o pé direito e, lentamente, desembainha a espada. Ele segura-a com a ponta na altura dos seus olhos (a posição *seigen*).

229. Então ele avança um passo, em *tsugi-ashi*. Recue um passo, começando pelo pé esquerdo.

230. Seu parceiro levanta a espada acima da cabeça, ficando na ponta dos pés (a posição *jodan*).

231. Depois ele grita, avança com o pé direito e tenta golpear você no topo da cabeça. Evite o golpe, avançando em direção a sua diagonal esquerda e girando para a direita.

232. Ponha a mão direita por cima do pulso direito do parceiro.

233. Puxe o pulso dele para o seu quadril direito e force-o para baixo, em direção ao canto frontal direito dele.

234. Passe a mão esquerda pelo pescoço do parceiro e segure-lhe a parte superior da gola direita. Enquanto aplica um estrangulamento, avance um passo com o pé direito, depois com o esquerdo.

235-36. Avance mais um passo com o pé direito e aplique um *hara-gatame*.

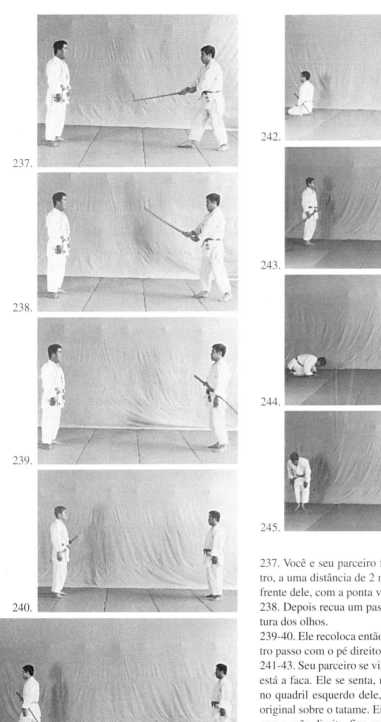
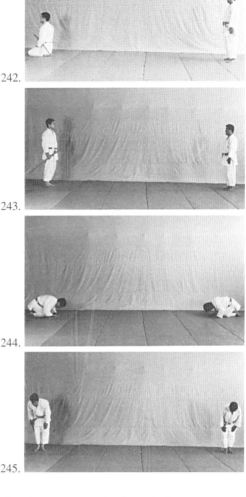

237. Você e seu parceiro ficam de frente um para o outro, a uma distância de 2 metros. Ele segura a espada na frente dele, com a ponta voltada para baixo.
238. Depois recua um passo, levantando a espada na altura dos olhos.
239-40. Ele recoloca então a espada na bainha, recua outro passo com o pé direito e fica em posição natural.
241-43. Seu parceiro se vira e caminha para o lugar onde está a faca. Ele se senta, retira a espada, que está presa no quadril esquerdo dele, e a recoloca em sua posição original sobre o tatame. Então ele pega a espada e a faca com a mão direita, fica em pé e se vira para você.
244. Juntos, vocês avançam um passo, sentam-se e fazem uma reverência. Seu parceiro coloca as armas sobre o tatame, ao lado direito do corpo, antes de fazer a reverência.
245. Seu parceiro pega as armas, vocês ficam em pé, viram-se para o *joseki* e fazem uma reverência.

15. Kodokan Goshin Jutsu

O *Kodokan Goshin Jutsu* é o *kata* mais novo, tendo sido criado em 1956. Ele complementa o *Kime no Kata* e é composto por várias técnicas de autodefesa que fazem uso de arremessos, chaves, golpes e chutes. Essas verdadeiras formas de combate incluem defesas contra todas as formas de ataques com armas ou sem armas.

As 21 técnicas incorporadas neste *kata* estão relacionadas na Tabela IV, na p. 150.

1.

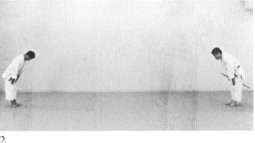
2.

3.

4.

5.

6.

1-3. Seu oponente tem uma pistola dentro do *judogi*, e um bastão e uma faca na mão direita. Vocês fazem uma reverência em pé, primeiramente em direção ao *joseki*, depois de frente um para o outro.

4-6. Ele se ajoelha de frente para o *joseki* e coloca as armas sobre o tatame.

Ele retorna à posição original e pára de frente para você. Vocês avançam, um em direção ao outro, e assumem a postura natural básica.

CONTRA-ATAQUE DESARMADO: AO SER SEGURADO

Ryote-dori — Pegada com as duas mãos

7.

8.

9.

10.

11.

9.

7. Seu parceiro avança um passo com o pé esquerdo e segura seus pulsos.
8. Ele tenta chutar sua virilha.
9. Recue um passo com o pé esquerdo e libere sua mão direita, puxando rapidamente o punho em direção ao peito, enquanto empurra o cotovelo para a frente.
10. Golpeie a têmpora direita do parceiro com a "faca" da mão direita.
11. Segure por cima o pulso direito dele, recue um passo com o pé direito e gire para a direita.
12. Prenda o braço do parceiro embaixo do seu braço esquerdo e gire o pulso.

Hidari-eri-dori — Pegada no lado esquerdo da gola

13.

14.

15.

17.

18.

16.

13. Seu parceiro segura a sua gola esquerda com a mão direita, avança um passo com o pé direito e tenta empurrar você para baixo.
14. Segure sua própria gola esquerda com a mão esquerda e recue um passo com o pé esquerdo. Golpeie os olhos do parceiro com o dorso da sua mão direita.
15. Imediatamente, segure por cima o pulso direito dele com sua mão direita.
16. Ponha a mão esquerda no cotovelo direito do parceiro e recue um passo com o pé direito.
17. Enquanto torce o pulso dele e empurra-lhe o cotovelo, empurre-o para o chão com o rosto para baixo.
18. Coloque o joelho esquerdo contra a lateral direita das costas dele e empurre-lhe o braço direito em direção à cabeça.

Migi-eri-dori   Pegada no lado direito da gola

19.　20.　　　　　21.　　　　　22.　　　23.

19. Seu parceiro segura sua gola direita com a mão direita, recua um passo com o pé esquerdo e tenta empurrar você para baixo.
20. Avance um passo com o pé direito e dê um soco para cima com o punho direito.
21. Segure por cima o pulso direito do parceiro com sua mão esquerda e pressione-a com firmeza contra seu peito.

22. Recue um passo com o pé esquerdo e gire o corpo um pouco para a esquerda.
23. Segure o pulso direito do parceiro com sua mão direita (os dedos para dentro) e empurre-o para a frente até que ele caia.

Kataude-dori   Pegada com uma só mão

24.　　　　25.　　　　　　26.　　　　　　28.　29.

27.

24. Seu parceiro se aproxima de você pela sua retaguarda direita, segura seu pulso direito com a mão direita e seu cotovelo direito com a mão esquerda, e empurra você para a frente.
25. Avance um passo com o pé esquerdo para manter o equilíbrio.
26. Gire e chute o lado esquerdo do joelho esquerdo do parceiro com a sola de seu pé direito.

27. Abaixe o pé direito, avance um passo com o esquerdo e puxe o direito.
28. Gire um pouco para a direita, agarre por baixo o pulso do parceiro e prenda-o contra seu peito.
29. Gire para a sua direita, aperte seu braço esquerdo sobre o braço direito dele e pressione o cotovelo do parceiro para baixo com sua axila esquerda.

Ushiro-eri-dori — Pegada na gola por trás

30.

31.

32.

33.

34.

35.

30. Seu parceiro se aproxima de você por trás, segura a parte posterior da sua gola, recua um passo com o pé esquerdo e tenta jogar você de costas no chão.
31. Recue um passo com o pé esquerdo.
32. Gire para a esquerda, sobre a parte da frente da sola do pé, e levante o braço esquerdo para proteger a cabeça.
33. Soque o plexo solar do parceiro.
34-35. Imediatamente, aplique um *ude-gatame* pela esquerda contra o braço direito dele.

Ushiro-jime — Estrangulamento por trás

36.

37.

38.

39.

40.

41.

36. Seu parceiro coloca o braço direito sobre seu ombro direito e tenta aplicar um *hadaka-jime*.
37. Traga o queixo para junto do pescoço e empurre o braço direito dele para baixo com ambas as mãos.
38. Abaixe o corpo, avance o pé direito e gire para a esquerda.
39. Controlando o braço direito do parceiro com seu ombro direito, libere sua cabeça da axila dele e ponha seu pé esquerdo por trás do pé direito dele.
40. Segure por baixo o pulso direito dele com a mão esquerda (seus dedos e polegar na direção do parceiro) e pressione por cima o cotovelo dele com sua mão esquerda.
41. Recue novamente um passo com o pé esquerdo, puxe e aplique o *te-gatame* contra o cotovelo direito do parceiro a fim de empurrá-lo para o chão, com o rosto para baixo.

Kakae-dori

42. 43. 44. 45.

CONTRA-ATAQUE DESARMADO: À DISTÂNCIA

Naname-uchi

48. Seu parceiro levanta o braço direito e avança um passo com o pé direito, planejando dar um soco no lado esquerdo de sua cabeça.
49. Dê um passo por fora do pé direito dele com seu pé esquerdo, gire para a sua direita e apare o braço direito dele com o seu esquerdo.
50. Dê um soco de baixo para cima com o punho direito.
51. Agarre o pescoço do parceiro com sua mão direita (o polegar para a esquerda).
52-53. Segure a parte superior do braço direito dele com sua mão esquerda e arremesse-o com um *osoto-gari* pela direita.

48. 49.

Ago-tsuki

54. 55. 56. 57.

Gammen-tsuki

60. Seu parceiro avança um passo com o pé esquerdo e soca seu rosto com o punho esquerdo.
61. Evite o golpe, dando um passo para a frente com o pé direito, e soque a lateral do parceiro com o punho direito.
62-63. Mova-se em *tsugi-ashi* e fique atrás dele.
64-66. Aplique um *hadaka-jime*, dando um passo para trás com o pé esquerdo, depois com o direito.

60. 61.

Segurar e prender por trás levantando

42. Seu parceiro começa a técnica em pé atrás de você, então avança um passo com o pé direito e passa os braços à sua volta, como se desse um "abraço".
43. Assim que ele tocar em você, pise no pé direito dele com a frente da sola de seu pé direito, avance um passo com o pé esquerdo, abaixe os quadris e solte-se, empurrando os cotovelos para fora.
44. Vire-se, segure por cima o pulso direito dele com sua mão esquerda e empurre a parte de cima de seu braço direito contra o cotovelo dele.
45. Avance seu pé esquerdo, enquanto controla o pulso do parceiro.
46. Recue um passo com o pé direito e gire para a direita.
47. Ao fazer isso, arremesse seu parceiro para trás, em direção a sua diagonal direita, girando e empurrando o braço direito dele.

Golpe diagonal

50.   51.   52.   53.

Soco para cima (*Uppercut*)

58.   59.

54. Seu parceiro avança um passo com o pé direito e tenta dar um soco de baixo para cima em seu queixo.
55. Recue um pequeno passo com o pé esquerdo e afaste o soco, por baixo, com a mão direita.
56. Segure o pulso direito do parceiro com sua mão direita e o cotovelo com a esquerda (o polegar para baixo).
57. Torça o pulso, afastando-o de você, e empurre o cotovelo contra o rosto do parceiro.
58-59. Quando o cotovelo dele travar, avance um passo com o pé esquerdo e arremesse-o para a frente.

Soco-empurrão em direção ao rosto

62.   64.   65.   66.

63.

CONTRA-ATAQUE DESARMADO: À DISTÂNCIA

Mae-geri   **Chute frontal**

67.   68.   69.   70.

67. Seu parceiro tenta chutar sua virilha com o pé direito.
68. Evite o chute, dando um passo para trás com o pé direito e girando para a direita.
69. Segure o tornozelo do parceiro com as duas mãos.
70-72. Empurre-o até que ele caia de costas.

71.   72.

Yoko-geri   **Chute lateral**

73.   74.   75.

76.   77.   78.

73. Com o pé esquerdo, seu parceiro avança um passo, em direção à diagonal esquerda dele, gira para a esquerda e tenta chutar sua lateral direita com o pé direito.
74-75. Avance um passo, para a sua diagonal esquerda, com seu pé esquerdo, depois com o direito, e apare o golpe com o antebraço direito.

76. Continue a se mover para a frente, até estar diretamente atrás do parceiro. Coloque as mãos nos ombros dele.
77-78. Desça sobre o joelho esquerdo e puxe o parceiro para baixo para que ele caia de costas à sua direita.

CONTRA-ATAQUE ARMADO

Tsukkake — Empurrão

79. Seu parceiro recua um passo com o pé direito, enfia a mão direita dentro do blusão do *judogi* e tira uma faca, que ele segura ao lado direito do corpo.
80. Antes que ele possa atacar, avance um passo largo em direção à lateral esquerda dele, segure-lhe o cotovelo esquerdo com sua mão direita (o polegar para cima) e ponha a mão esquerda na frente dos olhos dele para cegá-lo.

81. Segure o pulso esquerdo do parceiro com a mão esquerda e torça-o, afastando-o de você.
82. Gire sua mão direita, até que o polegar esteja para baixo, e empurre o cotovelo dele para cima.
83-84. Recue um passo com o pé esquerdo e empurre o parceiro para o chão, de barriga para baixo, colocando pressão no cotovelo dele.

Choku-zuki — Soco e empurrão retos

85. Seu parceiro avança um passo com o pé esquerdo, tira uma faca com a mão direita, então dá um passo para a frente com o pé direito a fim de golpear você no estômago.
86. Avance um passo com o pé esquerdo, gire um pouco para a direita e segure por baixo o cotovelo direito dele com sua mão esquerda.

87. Dê um soco com o punho direito.
88. Segure por baixo o punho dele com sua mão direita.
89. Coloque a mão esquerda por cima do pulso.
90. Desequilibre-o para a frente, em direção à diagonal direita dele, aperte seu braço direito sobre o braço direito dele e lhe aplique pressão no cotovelo.

Naname-zuki — Facada inclinada

 91.
 92.
 93.
 94.

 95.
 96.
 97.

91. Seu parceiro avança um passo com o pé esquerdo, retira uma faca com a mão direita e levanta-a para golpear. Ele avança um passo com o pé direito e tenta golpear você no pescoço.
92. Evite o ataque, dando um passo para trás com o pé direito e girando para a direita. Ao mesmo tempo, segure por cima o pulso direito dele com a mão esquerda.
93. Ponha a mão direita na base do pulso do parceiro.
94. Recue um passo com o pé esquerdo e empurre o parceiro para o chão, torcendo-lhe o braço e colocando pressão no pulso dele.
95-97. Aplique o *te-gatame* e tire-lhe a faca.

Furiage — Movimento para cima contra bastão

 98.
 99.
 100.

101.

 102.
 103.

98. Seu parceiro, segurando um bastão com a mão direita, recua um passo com o pé direito e levanta o bastão acima da cabeça.
99-100. Antes que ele ataque, avance um passo com o pé esquerdo, bloqueie o braço direito dele com seu antebraço esquerdo e empurre o queixo dele com sua mão direita.
101-03. Arremesse-o com um *osoto-gari* pela direita.

204 KODOKAN GOSHIN JUTSU

Furioroshi   Movimento para baixo contra bastão

104.

105.

106.

107.

108.

109.

104. Seu parceiro, segurando um bastão, avança um passo com o pé direito, levanta o bastão pela lateral e tenta golpear o lado esquerdo da sua cabeça.
105. Evite o golpe, puxando um pouco para trás seu pé direito.
106. Avance um passo com o pé esquerdo e bata na face do parceiro com a lateral de seu punho esquerdo.

107. Dê um passo por trás do pé esquerdo dele e bata-lhe mais uma vez no rosto, só que agora com a "faca" da sua mão esquerda.
108-09. Ele cai de costas.

Morote-zuki   Empurrão com as duas mãos contra bastão

110.

111.

112.

113.

114.

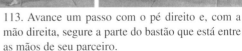
115.

110. Seu parceiro segura um bastão. Ele avança um passo com o pé esquerdo e tenta golpear você no plexo solar.
111. Avance um passo com o pé direito, gire o corpo para a esquerda e afaste o bastão para a sua esquerda com a mão direita.
112. Segure por cima a ponta do bastão com a mão esquerda.

113. Avance um passo com o pé direito e, com a mão direita, segure a parte do bastão que está entre as mãos de seu parceiro.
114-15. Mova-se para a frente, colocando pressão contra o cotovelo esquerdo do parceiro com seu antebraço direito e arremesse-o para o canto frontal direito dele.

CONTRA-ATAQUE ARMADO

Shomen-zuke

116.

117.

118.

Koshi-gamae

122.

Pistola segurada pelo lado

123.

124.

125.

122. Seu parceiro avança um passo com o pé esquerdo e está segurando uma pistola ao lado do corpo, apontada para seu abdome. À medida que você ergue lentamente as mãos, ele se aproxima.

123. Gire para a esquerda, agarre por cima o cano da arma com a mão direita e segure por baixo a base da arma com a mão esquerda.

124. Gire os quadris para a direita e empurre nessa direção com ambas as mãos. A pressão no pulso do parceiro fará com que ele solte a arma.

125. Tire-lhe a arma e bata com ela na cabeça dele.

206 KODOKAN GOSHIN JUTSU

Pistola no abdome

119.

120.

121.

116. Seu parceiro avança um passo com o pé direito e pressiona uma pistola contra seu abdome.
117. Levante lentamente as mãos, depois gire para a direita e avance um passo com o pé esquerdo. Agarre a pistola com a mão esquerda (polegar para cima) e segure por cima o punho direito do parceiro com a mão direita.
118-21. Empurre o cano da arma contra a axila direita do parceiro e desarme-o.

Haimen-zuke   Pistola nas costas

126.

127.

128.

129.

130.

131

126. Com uma pistola na mão direita, seu parceiro aponta-a para o meio de suas costas.
127. Enquanto levanta lentamente as mãos, gire para a sua direita.
128. Continue girando para a direita e passe seu braço direito em torno no braço direito do parceiro.
129-31. Tire-lhe a arma com sua mão esquerda.

Ao final da última técnica, seu parceiro recoloca a pistola dentro do blusão e vocês ficam frente a frente. Ele, parceiro, se encaminha para o lugar onde deixou a faca e o bastão, ajoelha-se e os pega com a mão direita, segurando-os da mesma maneira que no início do *kata*, e retorna para sua frente. Ambos avançam um passo com o pé direito, reverenciam um ao outro, então se viram para o *joseki* e fazem outra reverência.

16. Ju no Kata[1]

O *Ju no Kata* tem quinze técnicas, agrupadas em três grupos. Elas estão relacionadas na Tabela V, na p. 151.

INICIANDO O *KATA*

Você, *tori*, e sua parceira, *uke*, ficam de frente uma para a outra, a 5,4 metros de distância. Você está à esquerda de quem olha do *joseki* (Fig. 1). Vocês se viram e fazem uma reverência em pé para o *joseki*, depois ficam de novo frente a frente e fazem uma reverência uma para a outra (Fig. 2). Simultaneamente, avancem um passo com o pé esquerdo e assumam a postura natural básica. Iniciando com o pé esquerdo, avancem até 1,8 metro uma da outra e assumam novamente a postura natural básica (Fig. 3).

GRUPO 1

Tsukidashi

---

1. No *Ju no Kata*, o *uke* e o *tori* são mulheres. O original usou os termos no feminino, o que foi mantido na tradução. (N.T.)

4-5. Sua parceira avança em *tsugi-ashi*, com o pé direito à frente. À medida que se move, ela levanta o braço direito, deixando-o reto para a frente e com os dedos estendidos e unidos.

6. Ao se aproximar, ela mira a mão no ponto entre seus olhos.

7. Evite o golpe, virando o rosto para a direita, depois recue um passo com o pé direito e gire 180 graus para a direita. Segure por baixo o pulso dela com a mão direita (os nós dos dedos voltados para você) e puxe-a para a frente.

8. Quando o corpo da parceira estiver diretamente na sua frente, segure o pulso esquerdo dela com sua mão esquerda (o polegar por cima). Estenda-lhe o braço direito para cima, na diagonal, e o esquerdo para baixo, também na diagonal.

9. Curve-se para trás, puxando-a com você.

10. Tentando liberar a mão direita, sua parceira abaixa o ombro direito e gira para a esquerda, levando o pé esquerdo para trás.

11. Ela então segura seu pulso e se vira, fazendo uma volta completa. Enquanto isso, você se vira para a posição oposta.

12. Ela avança um passo pequeno com o pé direito, levantando um pouco seu braço esquerdo e abaixando o direito, e se curva, puxando você contra o peito.

13. Desta vez você se vira para a direita, levando o pé direito para trás, e segura os pulsos dela. Continue girando, até que ela fique de frente para você.

14. Mova o pé esquerdo para a frente, levante o braço direito da parceira e abaixe o esquerdo. Curve-se para trás, puxando-a contra seu peito.

15. Com a mão esquerda, abaixe o braço esquerdo dela em direção ao tatame e, com a mão direita, levante-lhe o braço direito.

16. Deslize a mão esquerda para o ombro dela.

17-18. Recue, começando com o pé direito, e desequilibre-a para trás.

A parceira bate uma vez na própria perna para sinalizar que está derrotada. Recoloque-a na postura natural básica. Em todas as técnicas a seguir, a *uke* se rende batendo uma vez com a mão ou com o pé; nesse momento, você a recoloca na postura natural básica.

Empurrão com a mão

6.

7.

8.

11.

12.   13.

16.

17.

18.

Kata-oshi   **Empurrão no ombro**

19.

20.

21.

22.

23.

24.

25.

26.

27.

28.

19. Você e sua parceira ficam de frente para a mesma direção, com o *joseki* à esquerda. Sua parceira está atrás de você, na diagonal esquerda, com o pé direito alinhado ao seu esquerdo. Ela levanta o braço direito, que está estendido, até a altura do ombro.

20. Colocando a mão direita em seu ombro esquerdo, ela empurra você para a frente. Você se curva na altura dos quadris.

21-22. Ela também se curva para a frente (a Fig. 22 é uma vista lateral).

23-24. Curve-se o máximo possível para a frente, depois gradualmente se mova para trás, começando com o pé direito. Quando a mão da parceira soltar seu ombro, segure a mão dela com a sua mão direita. Recue dois ou três passos, mantendo o equilíbrio (a Fig. 24 é uma vista lateral).

25. Sua parceira gira para a direita sobre o calcanhar direito, depois avança um passo com o pé esquerdo e tenta golpear você entre os olhos com as pontas dos dedos da mão esquerda, que estão estendidos.

26-28. Ande para trás e segure a mão esquerda dela com sua mão esquerda. Puxe ambas as mãos da parceira para cima e curve-a para trás.

Ryote-dori — Pegada com as duas mãos

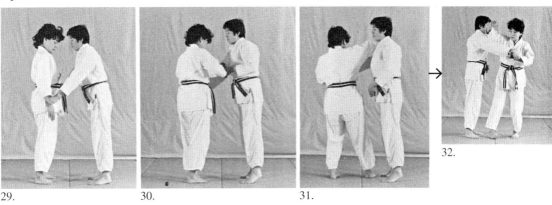

29. 30. 31. 32.

33. 34. 35.

36. 37.

29. Fique em pé diante da parceira a uma distância de 45 centímetros. Você fica à esquerda, quando vista do *joseki*. Ela então agarra seus pulsos.

30-32. Puxe as mãos para trás a fim de desequilibrar a parceira para a frente, depois se vire para a esquerda e segure por baixo o pulso direito dela com sua mão esquerda. Libere sua mão direita, puxando-a na direção de seu ombro esquerdo (a Fig. 32 é uma vista posterior).

33. Com o pé direito, dê um passo em direção ao seu canto frontal esquerdo e estenda o braço direito, passando-o pelo braço direito da parceira.

34-35. Enquanto gira para a esquerda sobre seu pé direito, segure o braço da parceira, pelo cotovelo, com sua mão direita e prenda-o em sua axila direita; abaixe então os quadris e puxe a parceira contra as suas costas (a Fig. 35 é uma vista lateral).

36-37. Levante a parceira, estendendo as pernas e curvando-se para a frente.

Kata-mawashi — Virada do ombro

38. Sua parceira fica diretamente atrás de você. O *joseki* está a sua esquerda.
39. A parceira levanta os braços até a altura dos ombros.
40. Ela coloca as mãos em seus ombros.
41. Puxando com a mão esquerda e empurrando com a direita, ela gira você para a sua esquerda.
42. Gire sobre o pé esquerdo, de modo a ficar de frente para a parceira, e ponha a mão esquerda na parte superior do braço direito dela, perto do ombro.
43-44. Deslize a mão pelo braço dela e segure-a pelo lado interno do cotovelo, depois recue um passo com o pé esquerdo e desequilibre-a para a frente.
45-46. Avance um passo com o pé direito, abaixe os quadris e leve o pé esquerdo para trás, próximo do lado interno do pé esquerdo da parceira. Ponha o ombro direito na axila direita dela, pouse a mão direita no ombro direito dela e solte-a, como no *ippon-seoi-nage*.

Ago-oshi — Empurrão no queixo

47.

48.

49.

50.

51.

52.

53.

54.

55.

47. Inicie com sua parceira parada atrás de você, sendo que o *joseki* está a sua esquerda. Avance então um passo com o pé direito, depois com o esquerdo, gire para a direita sobre o pé direito e permaneça na posição natural básica.
48. Começando com o pé direito, sua parceira se move para a frente em *tsugi-ashi* e vai levantando o braço direito (os dedos estendidos) à medida que avança.
49. Com a mão direita, ela tenta empurrar o lado direito de seu queixo.
50-51. Gire o pé esquerdo, conduzindo seu rosto e seu corpo para a esquerda. Pegue a palma da mão direita da parceira com sua mão direita e desequilibre-a para a frente (a Fig. 51 é uma vista posterior).

52. Avance o pé direito e, sobre ele, faça um giro de 180 graus à esquerda, esquivando-se por baixo do braço direito da parceira e tentando torcê-lo.
53. Sua parceira avança um passo com o pé esquerdo e tenta golpear você entre os olhos com os dedos da mão esquerda. Abaixe os quadris e agarre por baixo a mão esquerda dela com sua mão esquerda.
54. Recue com o pé direito, depois com o esquerdo, e puxe os braços da parceira para trás e para cima. Ela recua o pé direito, em círculo, e se curva para trás.
55. Quando os braços da parceira estiverem totalmente estendidos, faça com que as mãos dela encostem-se nos ombros e desequilibre-a para trás.

GRUPO 2

Kirioroshi

56.

57.

58.

61.

62.

63.

67.

68.

56. Você e sua parceira ficam de frente uma para a outra, a uma distância de 90 centímetros. Ela recua o pé direito e vira para a direita, ficando de costas para o *joseki*.
57. Ela levanta a mão direita acima da cabeça, com os dedos estendidos e unidos.
58. Mantendo os pés no lugar, ela se vira para a esquerda e fica novamente de frente para você.
59. Sua parceira avança um passo largo com o pé direito e tenta atingir o topo da sua cabeça com a "faca" da mão direita.

60. Evite o golpe, puxando o queixo para dentro, curvando-se para trás e recuando um passo com o pé direito, depois com o esquerdo.
61. Quando a mão da parceira estiver na altura do estômago, segure-lhe o pulso com a mão direita e comece a avançar em *tsugi-ashi*, com o pé direito primeiro.
62-63. Empurre o braço dela em linha reta para trás, na diagonal direita, a fim de desequilibrá-la nessa direção (a Fig. 63 é uma vista posterior).

Corte para baixo

59.

60.

64.

65.

66.

70.

71.

69.

64. Ela leva o pé direito para trás, gira para a direita, coloca a mão esquerda no seu cotovelo direito e empurra você para a sua esquerda.

65-66. Solte o pulso direito dela, gire para a esquerda sobre o pé esquerdo e estenda o braço direito para cima (a Fig. 66 é uma vista posterior).

67-68. Gire completamente, dê um passo para a retaguarda dela com seu pé direito e segure-lhe a mão esquerda com sua mão esquerda. Desequilibre-a para trás, na diagonal esquerda dela (a Fig. 68 é uma vista posterior).

69. Ande para trás dela, primeiro com o pé esquerdo, depois com o direito.

70-71. Ponha a mão direita no ombro esquerdo da parceira, gire o corpo para a esquerda e leve o braço esquerdo dela para cima e para trás. Recue um grande passo com o pé esquerdo e fique na postura defensiva.

GRUPO 2 215

Ryokata-oshi — **Empurrão nos dois ombros**

 72.
 73.
 74.
 75.

 76.
 77.
 78.
 79.

 80.
 81.
 82.
 83.

72. Sua parceira coloca-se atrás de você, a uma distância de 45 centímetros. O *joseki* está a sua esquerda. Ela levanta as mãos até a altura dos ombros.
73. Depois, ela eleva as mãos acima da cabeça.
74. A parceira abaixa os braços e põe as mãos em seus ombros, empurrando para baixo.
75-76. Dobre os joelhos, abaixe os quadris, leve o pé esquerdo para trás e comece a girar para a esquerda.
77. Vire-se, ficando de frente para ela.
78. Com a mão esquerda, pegue por baixo o pulso direito da parceira e puxe-a para a frente.
79. Recue o pé esquerdo, passando-o por trás do direito, e continue a puxar a parceira para a frente. Ela avança com o pé direito.

80. Continue a girar para a esquerda e ponha a mão direita no pulso dela. Quando você estiver olhando para a mesma direção que ela, mude a pegada de mão (o seu polegar segura então o pulso dela pelo lado do dedo mínimo).
81. Avance com pequenos passos e endireite o corpo. Puxe o braço dela para cima e para a frente com as duas mãos, tentando encaixá-la nas suas costas.
82. Ela resiste, empurrando seu quadril esquerdo com a mão esquerda.
83. Dê um passo para a esquerda e vire o quadril para a esquerda, continuando a puxá-la para a frente com sua mão direita. Dê um passo para trás dela com o pé esquerdo e fique na postura defensiva. Estenda o braço esquerdo pelo peito dela e desequilibre-a para trás.

Naname-uchi — **Golpe diagonal**

 84.  85.  86.  87.

 88.  89.  90.

 91.  92.  93.  94.

84. Vocês ficam frente a frente, a uma distância de 45 centímetros. Você está à esquerda, quando vista do *joseki*. Sua parceira levanta a mão direita e coloca-a no lado esquerdo do rosto.

85. Ela tenta atingir você entre os olhos com a "faca" da mão.

86. Evite o golpe, curvando-se para trás, e segure por dentro o pulso dela com os dedos de sua mão direita.

87-88. Ela recua um passo com o pé esquerdo, gira para a esquerda e segura seu pulso direito com a mão esquerda. Puxando na direção do golpe, ela desequilibra você para a frente.

89. Avance um passo com o pé esquerdo, segure o pulso esquerdo da parceira com a mão esquerda e tente desequilibrá-la para o canto frontal esquerdo dela. Libere sua mão direita.

90. Depois ela coloca a mão direita no seu cotovelo esquerdo e empurra-o, fazendo com que você vire de costas para ela.

91. Abaixe os quadris, gire para a direita sobre o pé esquerdo e leve o pé direito por trás da parceira.

92. Passe o braço direito pela cintura dela.

93. Segure a frente da faixa da parceira com a mão direita e coloque sua mão esquerda no baixo abdome dela, como no *ura-nage*.

94. Estique as pernas, curve-se para trás e levante a parceira. Ela junta as pernas e eleva os braços esticados acima da cabeça.

GRUPO 2   217

Katate-dori — Pegada com uma mão

 95.  96.  97.  98.

 99.  100.  101.

95. Fique ao lado de sua parceira, de frente para o *joseki*. Você está à esquerda dela.
96. A parceira segura por cima seu pulso direito com a mão esquerda.
97. Avance um passo com o pé direito, fazendo com que ela também avance com o pé direito, e levante seu braço direito (a palma da mão para baixo e o cotovelo levemente dobrado). Libere o braço, empurrando-o em direção ao seu canto frontal esquerdo.
98. Ela então coloca a mão direita em seu cotovelo direito, passando a mão sob o próprio braço esquerdo, e empurra a parte superior de seu corpo para a esquerda.
99. Segure o braço esquerdo dela com a mão direita, passe o braço esquerdo pela cintura dela, abaixe os quadris e coloque-a em suas costas, como no *o-goshi*.
100. Estique as pernas e curve-se para a frente a fim de levantá-la.
101. Sua parceira fica com os pés "apontados" e arqueia as costas.

Katate-age — Erguendo com uma mão

102. Vocês ficam frente a frente, a uma distância de 2,4 metros. Você está à esquerda quando vista do *joseki*.
103. Juntas, levantem seus braços direitos (as palmas para a frente) e fiquem na ponta dos pés.
104. Aproximem-se com passos pequenos. Logo antes de se chocarem, recue um passo com o pé direito, gire para a direita e coloque a mão esquerda no ombro esquerdo da parceira. Ao mesmo tempo, ela avança um passo com o pé direito e abaixa o braço direito.
105. Segure o braço direito da parceira pelo cotovelo e curve o corpo dela para a sua direita.
106. Ela então endireita o corpo. Logo após, empurre-a pelo cotovelo direito com sua mão direita. Deixe sua mão esquerda deslizar até o antebraço esquerdo dela. Curve-a para a esquerda.
107. Novamente ela tenta se endireitar. Ajude-a e, quando ela estiver aprumada, desequilibre-a para trás.
108-09. Passe sua mão esquerda para o ombro esquerdo dela, e sua mão direita para o pulso direito dela. Recue um passo, iniciando com o pé direito, e, em postura defensiva, desequilibre-a ainda mais para trás, puxando-lhe o braço direito para cima.

 102.
 106.
 107.
 108.
 109.

103.
104.
105.

GRUPO 3

Obi-tori   **Segurando pela faixa**

110.

111.

112.

113.

114.

115.

116.

117.

118.

119.

120.

121.

122.

123.

110. Fique de frente para sua parceira, a cerca de 60 centímetros de distância. Você está à esquerda quando vista do *joseki*.

111. Sua parceira avança um pequeno passo com o pé esquerdo, cruza as mãos (com a esquerda por cima), eleva-as e tenta segurar sua faixa pela frente.

112-13. Mova os quadris um pouco para trás, segure por baixo o pulso esquerdo da parceira com sua mão direita e puxe-o para a sua esquerda (a Fig. 113 é uma vista posterior).

114-15. Passe sua mão esquerda por cima de seu braço direito e segure por baixo o cotovelo esquerdo da parceira. Gire-a para a direita dela (a Fig. 115 é uma vista posterior).

116-17. Quando ela estiver de costas para você, ponha a mão direita no ombro direito da parceira e continue a girá-la para a direita (a Fig. 117 é uma vista posterior).

118-19. Quando a parceira der a volta e estiver novamente de frente para você, ela segura por baixo seu cotovelo direito com a mão direita e gira você pela sua esquerda (a Fig. 119 é uma vista posterior).

120. Quando você estiver de costas para a parceira, ela coloca a mão esquerda em seu ombro esquerdo e tenta virar você de frente para ela.

121. Antes que ela possa fazê-lo, passe o braço esquerdo pela cintura dela, segure-lhe o braço esquerdo com sua mão direita e dobre os joelhos, como no *o-goshi*.

122. Coloque-a sobre seus quadris.

123. Levante-a como no *katate-dori*.

GRUPO 3   219

Mune-oshi — Empurrão no peito

124. 125. 126. 127.

128. 129. 130.

131. 132. 133.

124. Fique de frente para sua parceira, à cerca de 30 centímetros de distância. Você fica à esquerda quando vista do *joseki*.

125. Sua parceira levanta a mão direita e dá um soco no lado esquerdo de seu peito. Curve-se um pouco para trás, depois levante a mão esquerda, agarre o punho direito dela (entre o seu polegar e os dedos) e empurre a mão para cima.

126. Empurre o lado direito do peito dela com sua mão direita.

127. Ela se curva para trás e, com a mão esquerda, empurra para cima sua mão direita. Deixe que sua mão esquerda caia naturalmente para o lado. Ela pega seu pulso esquerdo com a mão direita.

128. A parceira puxa seu pulso esquerdo, em diagonal (para baixo e para a sua esquerda), enquanto estende seu braço direito para a sua direita.

129. Puxe sua mão esquerda para baixo, na frente do corpo, abaixe o ombro esquerdo e dê um passo para a direita com o pé esquerdo, levando o ombro direito para trás. Segure o pulso esquerdo dela com a mão direita. Enquanto isso, a parceira abaixa o ombro direito e começa a girar para a esquerda.

130. Gire junto até que vocês estejam de costas uma para a outra. Seu braço esquerdo está levantado e o direito, abaixado.

131. Continuem girando na mesma direção, até ficarem cara a cara. Pegue o pulso esquerdo dela com sua mão direita e levante-o na diagonal direita. Pegue o pulso direito dela com sua mão esquerda e abaixe-o na diagonal esquerda. Desequilibre-a para trás.

132. Deixe a mão direita escorregar para o ombro esquerdo da parceira e dê um passo para trás dela com seu pé direito.

133. Leve o pulso direito da parceira em direção ao seu quadril esquerdo, abaixe um pouco os quadris e desequilibre-a ainda mais para trás.

220 JU NO KATA

Tsukiage   Soco ("Uppercut")

134.

135.

136.

137.

138.

139.

140.

141.

142.

143.

144.

145.

134. Fique de frente para sua parceira, a uma distância de 75 centímetros, com você à esquerda quando vista do *joseki*.

135. Sua parceira recua um passo com o pé direito e levanta o braço direito, com a mão aberta e a palma voltada para fora.

136. Ela deixa o braço pender para baixo e fecha o punho na altura do quadril.

137. Depois ela avança um passo com o pé direito e mira um soco em seu queixo.

138. Recolha o queixo, curve a parte superior do corpo para trás e segure-lhe o punho com a mão direita.

139. Ao mesmo tempo, coloque a mão esquerda no ombro direito dela, avance um passo com o pé esquerdo e gire a parceira para o lado esquerdo dela.

140. Ela gira 180 graus sobre o pé esquerdo e fica novamente de frente para você.

141. Segure o cotovelo direito da parceira com a mão esquerda.

142. Leve seu pé esquerdo para trás e seu braço, para cima, fazendo com que ela avance um passo com o pé direito.

143. Mova-se um pouco para a frente com o pé esquerdo e empurre o cotovelo dela com a mão direita a fim de desequilibrá-la para a retaguarda, então dê um passo para trás dela com o pé direito.

144-45. Estenda o braço direito por cima do ombro direito da parceira e segure seu próprio antebraço esquerdo, prendendo-a em *ude-garami* (a Fig. 145 é uma vista posterior).

Uchioroshi

146.   147.   148.   149.   150.   151.

153.   154.   155.   156.   157.

Ryogan-tsuki

161. Fique de frente para sua parceira, a uma distância de 75 centímetros. Você fica do lado esquerdo.

162. Sua parceira levanta a mão direita no nível do peito, com os dedos estendidos, e o médio e o anular separados.

163. Avançando um passo com o pé direito, ela tenta atingir seus olhos com os dedos anular e médio. Recue um passo com o pé esquerdo, gire para a esquerda e segure-lhe o pulso direito com a mão esquerda. Puxe o braço dela para fora e para baixo.

164-65. Ela avança com o pé esquerdo, segura seu pulso esquerdo com a mão esquerda e empurra-o, liberando a mão direita. Ela tenta então derrubar você em direção a sua diagonal posterior esquerda.

166-67. Empurre o cotovelo esquerdo dela com a mão direita. Ela dobra os joelhos e gira para a direita sobre o pé direito, abaixando-se sob seu braço direito.

168. Avance um passo com o pé esquerdo e golpeie os olhos dela com os dedos da mão esquerda. Ela recua um passo com o pé direito, então gira para a direita, segura por dentro o seu pulso esquerdo com a mão direita e tenta empurrar você para a frente e para baixo.

169. Avance para ela com o pé direito, segure-lhe o pulso direito com a mão direita e empurre para liberar sua mão esquerda. Comece a levá-la para a frente com a mão direita. Ela empurra seu cotovelo direito com a mão esquerda.

170. Sem mover seus pés, vire a parte superior de seu corpo para a esquerda.

171. Segure a parte superior do braço da parceira com a mão direita, passe o braço esquerdo pela cintura dela, abaixe os quadris e puxe-a para você, como no *o-goshi*.

172. À medida que for sendo erguida, ela estica as pernas e arqueia as costas.

161.   162.   163.

168.   169.   170.

171.   172.

Golpe para baixo

146. Vocês ficam frente a frente, a uma distância de 75 centímetros. Você está à esquerda quando vista do *joseki*.
147-48. Sua parceira estica os dedos da mão direita, leva a mão para a esquerda e depois acima da cabeça, em um movimento circular.
149. Ela abaixa o braço, continuando o mesmo movimento em sentido horário, enquanto fecha o punho; então leva o punho até a frente do próprio rosto.
150. Depois ela levanta o punho acima da cabeça.
151. Avançando um passo com o pé direito, ela tenta atingir o topo da sua cabeça com a lateral do punho. Recue um passo, começando com o pé direito, e curve o corpo para trás a fim de evitar o golpe.
152. O punho dela passa na frente de seu rosto.
153. Quando o punho dela estiver na altura do seu abdome, segure-a pelo pulso com a mão direita. Mova-se para a frente com o pé direito, em *tsugi-ashi*.
154. Empurre-lhe o braço direito a fim de desequilibrá-la para a retaguarda, em direção à diagonal direita.
155-56. Ela leva o pé direito para trás e gira para a direita, coloca a mão esquerda em seu cotovelo direito e gira você para a esquerda.
157. Virando sobre o pé esquerdo, dê um passo para trás dela com o pé direito, de modo a ficar em ângulo reto com ela. Segure-lhe o pulso esquerdo com a mão esquerda e desequilibre-a para trás.
158. Dê um passo em volta dela, por trás.
159. Passe o braço direito pelo pescoço dela.
160. Enquanto a estrangula com o braço direito, recue um passo com o pé esquerdo, leve o pulso esquerdo da parceira em direção ao seu quadril esquerdo e aplique uma chave de braço.

158.   159.   160.

Golpe nos dois olhos

164.   165.   166.   167.

173.   174.   175.

Após executarem a última técnica, retornem às posições iniciais em pé, um passo à frente em relação à reverência inicial (Fig. 173). A partir da postura natural básica, dêem um passo para trás com o pé direito. Juntem os pés (Fig. 174). Façam uma reverência uma para a outra (Fig. 175), virem-se para o *joseki* e façam uma reverência em pé.

17. Itsutsu no Kata

FORMA 1

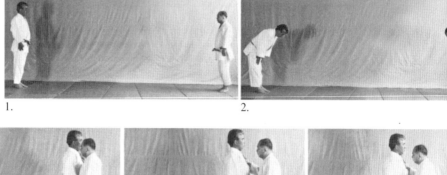

1-2. Fique de frente para seu parceiro, a uma distância de 3,5 metros. Você, o *tori*, deve ficar à direita quando visto do *joseki*. Virem-se e façam uma reverência para o *joseki*, depois um para o outro.
3-6. Lentamente, aproxime-se do parceiro, em *ayumi-ashi*, começando com o pé esquerdo e levantando a palma da mão direita, enquanto anda.

Continue em frente, abrindo um pequeno ângulo para a esquerda, até que seus pés quase toquem os dele, então coloque com cuidado a palma no peito dele, com o polegar pelo lado externo.
7-8. Avance um passo com o pé esquerdo e empurre o parceiro para trás, usando sua mão direita pelo lado do polegar, de modo que ele recue um pequeno

FORMA 2

As cinco formas do *Itsutsu no Kata* são identificadas apenas por números, pois o professor Kano faleceu antes de lhes dar nomes. Elas não servem somente para demonstrar o princípio da máxima eficiência, mas também para evocar os movimentos do Universo.

Depois de completar a Forma 5, vocês retornam às posições iniciais, fazem uma reverência um para o outro e depois em direção ao *joseki*.

3.

4.

5.

9.

10.
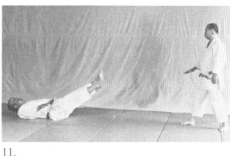
11.

passo com o pé esquerdo. Nesse momento, avance um passo com o pé direito e empurre-o, usando sua mão pelo lado do dedo mínimo. O parceiro deve recuar um passo com o pé direito.

9. Continue avançando com passos curtos, empurrando alternadamente com o lado do polegar e com o do dedo mínimo, aumentando gradualmente seu ritmo. Incapaz de acompanhar você, ele acaba perdendo o equilíbrio. Nesse momento, avance um passo com o pé direito e empurre-o forte com o braço direito.

10-11. Ele cai diretamente para trás, bate com as duas mãos e se senta de imediato com as pernas afastadas.

16. 17. 18.

12-14. Lentamente, seu parceiro levanta o joelho direito e leva a mão direita na altura da cintura, com os dedos apontando diretamente para a frente. Então ele se levanta e avança em sua direção, começando com o pé direito, como se fosse apunhalar você com a mão direita.

15. Recue um passo com o pé esquerdo, gire o corpo para a esquerda e segure o pulso direito dele com a mão esquerda (o polegar por baixo). Ponha a mão direita no lado de dentro do antebraço dele e puxe-o a fim de desequilibrá-lo para o canto frontal direito.

16. Ao puxar, desça o joelho esquerdo e arremesse o parceiro com um *uki otoshi*.

17. Ele descreve um arco próximo ao seu lado esquerdo e cai de costas.

18. Ele se senta lentamente.

FORMA 2   225

FORMA 3

19. 20. 21. 22.

25. 26. 27. 28. 29.

FORMA 4

31.

32.

33.

34.

35.

36.

37.

38.

39.

40.

41.

Esta forma foi desenvolvida para representar o movimento da maré à medida que ela sobe e desce, levando consigo o que se encontra à beira da água.

31. Lentamente, levante-se e se vire para o parceiro, que está de costas para você. Recue um passo com o pé esquerdo e gire o corpo para a esquerda.

32-33. Balance os braços para trás e para a esquerda, como se estivesse arremessando uma rede, e curve-se um pouco para a frente, depois corra até seu parceiro e deixe seus braços balançarem para a frente.

34. Corra só até passar por ele e pare com o pé direito na frente do pé esquerdo dele.

35-36. Tendo levantado os braços para a frente, abra-os para os lados. Abaixe lentamente o braço esquerdo e prenda-o do lado esquerdo de sua faixa. Ao mesmo tempo, abaixe o braço direito até a altura do ombro, então recue um passo, o suficiente para que seu braço entre em contato com o peito do parceiro. Depois recue um passo com o pé direito e empurre-o para trás com o braço.

37. Seu parceiro recua vários e pequenos passos, tentando se reequilibrar.

38. Recue outro passo, mantenha a pressão no peito dele e então desça sobre seu joelho esquerdo.

39-41. Ele desaba para trás como um tronco de árvore.

23. 24.

30.

19-20. Seu parceiro levanta-se sobre o joelho esquerdo, depois vocês ficam de pé, levantando os braços para os lados.
21-24. Andem ao redor um do outro para a esquerda, em círculos cada vez menores, como se fossem uma fênix chinesa.
25. Quando chegarem ao centro, vocês devem ficar face a face. Deixem os braços se cruzarem, com os esquerdos por cima.
26-29. Continuem girando para a esquerda, aumentando a velocidade; então você desliza o pé próximo ao pé direito do parceiro e cai de costas. Ao cair, puxe-o para baixo, formando um arco com a mão esquerda, e empurre para cima com a direita. Seu parceiro voa por cima de seu corpo.
30. Depois de cair no tatame, ele se levanta, enquanto você permanece no chão, com os membros afastados.

FORMA 5

42. 43. 44.

45. 46. 47. 48.

49. 50. 51. 52. 53.

42. Fiquem em cantos opostos, de costas um para o outro.
43. Então você e seu parceiro avançam um passo com o pé direito e elevam os braços, como a fênix chinesa.
44-46. Girem sobre o pé esquerdo, até que estejam frente a frente, e corram um para o outro.

47-50. Antes de colidirem, jogue suas pernas para a frente, na frente das pernas do parceiro, e caia de lado.
51-53. Ele é arremessado sobre você, faz um rolamento frontal e se levanta.

18. Koshiki no Kata

OMOTE

Tai

As técnicas deste *kata* foram desenvolvidas para os guerreiros vestidos com armaduras, da Escola Kito, e é essencial que, ao executar o *kata*, o praticante se imagine vestido com uma pesada armadura. Eu decidi preservar as técnicas, na forma deste *kata*, porque elas incorporam o princípio e as técnicas do judô Kodokan.

Este *kata* é dividido em duas partes, o *omote* (pela frente) e o *ura* (por trás), e suas 21 técnicas estão listadas na Tabela VI, na p. 151.

Como ocorre com os demais *kata*, o Koshiki no Kata começa com você e seu parceiro de frente um para o outro (a uma distância de 5,4 metros). Virando-se para o *joseki*, façam uma reverência em pé (Figs. 1-2). Depois façam uma reverência na posição sentada. Ao terminarem o *kata*, a reverência na posição sentada é feita primeiro, seguida pela reverência em pé.

Postura de alerta

4.   5.   6.

10.   11.   12.

16.   17.   18.   19.

5-7. Você se vira e fica de frente para o *joseki*. Após acalmar a mente e o corpo por meio de uma profunda respiração abdominal, avance um passo com o pé esquerdo e permaneça alerta.

8-10. Começando com o pé esquerdo, seu parceiro caminha para a frente, até que o pé direito dele esteja na frente do seu pé esquerdo, então ele pára e segura a parte frontal da sua faixa com a mão esquerda e a parte de trás com a direita.

11-12. Ele balança a perna para cima e para baixo, usando o movimento para puxar você para perto do quadril direito dele, e tenta aplicar um arremesso de quadril.

13-15. Ponha a mão esquerda contra a parte posterior do quadril dele e a direita no lado esquerdo do peito dele, e desequilibre-o para trás.

16-17. Desça sobre o joelho direito e arremesse-o para a sua diagonal esquerda posterior.

18-19. Após cair, seu parceiro se senta, afasta um pouco as pernas e põe as mãos sobre as próprias coxas. Enquanto isso, você coloca sua mão esquerda sobre seu joelho esquerdo, ergue-se sobre a frente da sola do pé esquerdo e move a perna esquerda para o lado esquerdo.

Depois de alguns segundos, ambos se levantam lentamente e retornam às posições originais.

Yume-no-uchi

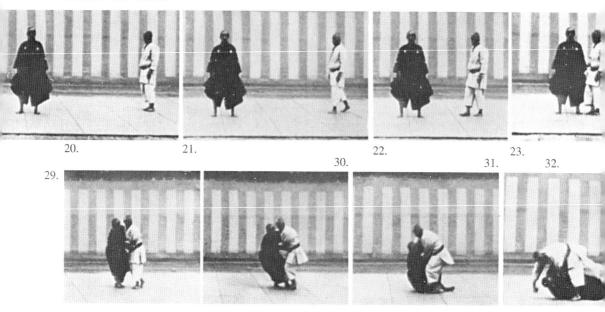

20. 21. 22. 23.
29. 30. 31. 32.

20-27. Seu parceiro se aproxima e tenta um arremesso de quadril, como na técnica anterior.
28. Novamente, você tenta desequilibrá-lo para trás, mas ele resiste, endurecendo o corpo.
29. Levante-o com a mão esquerda, colocada por trás da cintura dele, vire-se para ficar diante dele e segure-lhe de leve a parte interna da manga esquerda, ou o peito, com a mão direita.

30. Curve-se para trás e recue vários passos para desequilibrá-lo.
31. Quando ele se mover para a frente, e o peso dele estiver na ponta dos pés, jogue-se para trás.
32-35. Seu parceiro rola para a frente e se levanta diante de você. Você permanece no chão por alguns segundos, com os braços e as pernas afastados.

Ryokuhi   **Evitando a força**

36. 37. 38. 39. 40.

36. Você e seu parceiro ficam frente a frente, a uma distância de 90 centímetros.
37-39. Seu parceiro avança um passo com o pé esquerdo, depois com o direito, e, com os braços cruzados (o direito por cima), tenta segurar sua faixa com ambas as mãos.
40. Recue um passo com o pé direito e afaste os quadris. Seu parceiro se desequilibra para a frente.
41. Gire o corpo para a direita e segure o pulso direito dele com a mão esquerda (o polegar por cima). Passe a mão direita sobre seu próprio antebraço esquerdo e coloque-a no cotovelo direito do parceiro. Controle o braço direito dele com ambas as mãos. Enquanto o dirige para a direita com sua mão direita, mova a mão esquerda para a parte superior do braço esquerdo dele, perto do ombro, e empurre-o até que ele se aproxime do seu canto frontal direito. Desequilibrado para a frente, ele apruma o corpo. Ponha sua mão direita no ombro direito dele e a esquerda na parte superior esquerda do peito, desça sobre o joelho esquerdo e puxe a mão direita para trás e para baixo.
42. Ele cai diretamente para trás.

41. 42.

Sonhando

24. 25. 26. 27. 28.
33. 34. 35.

Mizu-guruma   Roda D'água

43. 44. 45. 46. 47.

43. Você e seu parceiro ficam a 1,8 metro de distância.
44. Como na última técnica, ele tenta segurar sua faixa com as duas mãos, uma sobre a outra. Recue um passo com o pé direito, pegue o pulso direito dele com sua mão direita e agarre a parte superior do braço direito dele com sua mão esquerda.
45. Puxe-lhe o braço para baixo.
46. Ele resiste, endireitando o corpo.
47. Nesse momento, empurre o antebraço direito do parceiro, na direção da testa dele, com sua mão direita e coloque a mão esquerda na região lombar dele. Desequilibre-o para trás.
48. Ele então se curva para a frente a fim de se reequilibrar.
49-53. Quando ele fizer isso, caia para trás e jogue-o sobre seu corpo, como no *yume-no-uchi*.

48. 49. 50.
51. 52. 53.

Mizu-nagare Fluxo da Água

54. Você e seu parceiro ficam a 3,5 metros de distância. Você está à direita.
55. Comecem a andar um em direção ao outro.
56. Quando estiverem a 1,8 metro, seu parceiro faz com a mão direita os movimentos de desembainhar uma faca imaginária, que estaria presa no quadril direito dele. Avançando um passo com o pé esquerdo, ele tenta segurar sua gola com a mão esquerda.
57. Antes que ele possa tocar você, recue um pequeno passo com o pé direito e curve-se um pouco para trás. À medida que se estica para segurá-lo, ele se desequilibra para a frente. Pegue o pulso esquerdo dele com a mão direita (o polegar por cima) e a parte interna do cotovelo esquerdo com a mão esquerda. Empurre-o devagar para a frente.
58-59. Recue um grande passo com o pé direito, desça sobre o joelho direito e arremesse o parceiro para o canto frontal esquerdo dele, empurrando-o com ambas as mãos.
60. Ele cai de costas, depois se senta, afasta as pernas e coloca as mãos sobre as coxas.

Hikiotoshi Queda com Puxão

61. Fique à esquerda, a uma distância de 1,5 metro de seu parceiro.
62-63. Ele avança um passo com o pé esquerdo, depois com o direito, e tenta virar você, da esquerda para a direita, empurrando para trás seu ombro esquerdo com a mão direita, enquanto empurra para cima seu ombro direito com a mão esquerda.
64. Gire o corpo para a esquerda, segure-o pelo antebraço direito com a mão esquerda e coloque a mão direita na parte superior do braço direito dele, perto do ombro.
65-67. Desça sobre o joelho esquerdo e arremesse o parceiro, empurrando-o para o canto frontal direito dele com ambas as mãos. Como na última técnica, depois de cair, ele se senta.

Ko-daore — Queda da Árvore

68. Fique no lado direito, a 2,7 metros de seu parceiro.
69-70. Movam-se um em direção ao outro, levantando o braço direito e mantendo os dedos retos, como se a mão fosse uma espada. Quando chegar a 1,8 metro de seu parceiro, avance um passo com o pé direito e tente socar a cabeça dele com a mão direita.
71. Ele escapa de você, dando um passo para trás com o pé direito e virando a cabeça para a direita. Ele segura seu pulso direito com a mão direita.
72. Ele gira e puxa você para a direita, passa o braço esquerdo pela sua cintura e tenta aplicar um arremesso com o quadril esquerdo.
73-74. Estenda o braço direito e empurre a testa do parceiro, desequilibrando-o para trás. Aproxime-se dele com o pé direito, segure-lhe a frente da faixa com a mão esquerda e puxe-o para você. Ele resiste, puxando para trás. Desequilibre-o para a retaguarda e arremesse-o, descendo seu joelho esquerdo. Seu parceiro se senta após a queda, enquanto você se ergue sobre a frente da sola do pé esquerdo e move o joelho direito para a direita.

Uchikudaki — Despedaçando

75-76. Fique à esquerda, aproxime-se de seu parceiro, como no *ko-daore*, levante a mão esquerda e golpeie-o no abdome.
77. Ele gira para a esquerda, segura seu pulso esquerdo na mão esquerda e puxa você para a esquerda. Depois entra na sua frente com o pé esquerdo e passa o braço direito pela sua cintura, tentando executar um arremesso de quadril pelo lado direito.
78. Desequilibre-o para a diagonal posterior esquerda, pressionando seu braço contra o peito dele e empurrando a parte da frente da faixa dele com a mão direita.
79-80. Ele recua um passo para se reequilibrar. Mova-se com ele e caia sobre o joelho direito.
81-82. Ele cai diretamente para trás, depois se senta. Você se ergue sobre a frente da sola do pé direito e move seu joelho esquerdo para a esquerda.

Tani-otoshi   Queda do vale

83. Você e seu parceiro ficam de frente para o *joseki*; ele se coloca a uma distância de 1,8 metro atrás de você, à sua esquerda.
84-85. Ele se aproxima pela diagonal esquerda, coloca a mão direita atrás de seu ombro direito e a mão esquerda na parte da frente de sua faixa, e tenta empurrá-lo para a frente e para baixo.
86-87. Dobre-se para a frente, enquanto for empurrado, até que a mão dele saia de seu ombro, então segure os dedos da mão direita dele com sua mão direita e puxe para a frente.

88. Ele dá um passo na sua frente com o pé direito e tenta se reequilibrar.
89. Endireite-se e ponha o pé esquerdo atrás do pé direito dele, depois prenda o corpo dele entre sua perna esquerda e seu braço esquerdo. Coloque seu quadril esquerdo atrás do quadril direito do parceiro, ponha a mão direita no lado direito da faixa dele e desequilibre-o para a diagonal posterior esquerda dele.
90-91. Desça sobre o joelho direito e arremesse-o para a diagonal posterior esquerda dele. Termine como na técnica anterior.

Kuruma-daore   Arremesso da roda

92-94. Seu parceiro novamente se aproxima pela retaguarda esquerda e tenta girar você, empurrando para a frente e para baixo a partir de seu ombro direito, usando a mão direita, ao mesmo tempo que empurra seu ombro esquerdo para trás com a mão esquerda.
95. Sem oferecer resistência, gire sobre o pé esquerdo e traga o pé direito de volta até estar de frente para o parceiro.

96. Mova o pé esquerdo para a esquerda, segure a parte superior do braço esquerdo dele, perto da axila, com a mão direita, e passe a mão esquerda pela axila direita dele, colocando-a atrás do ombro.
97. Empurre-o para a frente com ambas as mãos e jogue-se para trás.
98-99. Seu parceiro voa sobre sua cabeça. Ele se levanta após a queda, enquanto você permanece parado por alguns segundos.

234   KOSHIKI NO KATA

Shikoro-dori   Segurando pelo pescoço

100.   101.   102.

103.   104.   105.   106.

100. Fique à direita, a 90 centímetros de distância de seu parceiro.
101. Ele avança um passo com o pé esquerdo e tenta segurar a frente de sua faixa com a mão esquerda.
102. Evite a pegada, movendo os quadris para trás, segure-lhe o punho esquerdo com a mão direita e empurre-o para a sua esquerda. Ao mesmo tempo, torça o queixo dele para longe de você com a mão esquerda.
103. O pé direito dele sai do chão e ele se desequilibra para trás.
104-05. Mova a mão direita para o ombro direito dele, caia sobre o joelho esquerdo e puxe-o fortemente com a mão direita em direção à diagonal posterior direita dele.
106. Ele se senta e você se ajoelha, como sempre, após a queda.

Nota: Originalmente, o arremesso era feito girando as vértebras do pescoço do oponente.

Shikoro-gaeshi   Torcendo as vértebras do pescoço

107.   108.   109.

110.   111.   112.   113.

107. Como na última técnica, fique à direita, a uma distância de 90 centímetros do parceiro.
108. Ele avança um passo com o pé esquerdo, segura por cima a frente de sua faixa com a mão esquerda, gira sobre o pé esquerdo e tenta arremessar você, usando o quadril esquerdo.
109. Avance um passo com o pé direito, cedendo à puxada.
110. Empurre o lado esquerdo da cabeça dele com sua mão direita e puxe-lhe o queixo, na sua direção, com a mão esquerda, desequilibrando-o para a direita.
111. Ele tenta se endireitar.
112. Arremesse o parceiro, sentando-se e puxando-lhe o ombro direito diretamente para baixo com a mão direita.
113. Seu parceiro se senta após a queda e você permanece sentado.

Yudachi   **Borrifo de água**

114. Desta vez, fique à esquerda, a 90 centímetros do parceiro.
115. Pegue as laterais da gola dele com ambas as mãos, junte-as e depois as segure com a mão direita (o dedo indicador deve estar inserido entre os lados da gola e dobrado para dentro na segunda junta). Seu parceiro avança um passo com o pé esquerdo e segura a parte inferior de sua manga direita com a mão esquerda.
116. Recue um passo com o pé direito. Ele então avança um passo com o pé direito, passa o braço direito pela sua cintura e tenta arremessar você com o quadril direito.
117. Quando ele aproximar o corpo de você, recue um passo como o pé esquerdo, gire para a esquerda e segure o braço direito dele com a mão esquerda.
118. Caia sobre o joelho esquerdo e puxe o parceiro, em direção à diagonal posterior direita dele, com ambas as mãos.
119. Ele senta-se após a queda e você se ajoelha.

Taki-otoshi   **Queda da cachoeira**

120. Fique à direita e, como na técnica anterior, agarre as laterais da gola dele e segure-as com a mão direita, com o dedo indicador por dentro.
121. Ele avança um passo com o pé esquerdo e agarra por baixo o meio de sua manga direita com a mão esquerda.
122. Recue um passo com o pé direito.
123. Ele avança um passo com o pé direito, passa o braço direito por seu ombro e tenta executar um arremesso de quadril pela direita.
124. Ponha a mão esquerda na cintura do parceiro e desequilibre-o para trás com a mão direita, que ainda está segurando a gola dele.
125. Ele resiste, curvando-se para a frente. Desequilibre-o para a frente, como no *yume-no-uchi*, e jogue-se para trás.
126-28. Ele rola e se levanta, enquanto você permanece deitado por alguns segundos, com os braços e pernas afastados.

URA

Mi-kudaki — Despedaçando o corpo

129.

130.

131.

132.   133.

134.

135.

136.

137.

138.

139.

129. Fique à esquerda, de frente para o *joseki*. Seu parceiro fica à direita, de frente para você, a uma distância de 2,7 metros.

130-33. Como na técnica *tai*, ele caminha até você, segura os dois lados de sua faixa, oscila a perna esquerda para cima, depois para baixo, e tenta aplicar um arremesso de quadril pela direita.

134. Segure o pulso esquerdo dele com a mão direita, passe o braço esquerdo sob a axila esquerda dele e desequilibre-o para trás, movendo-se para a esquerda.

135. Ele resiste, curvando-se para a frente.

136-38. Dê um passo para o lado direito dele com o pé direito, depois com o esquerdo, e jogue-se para trás.

139. Seu parceiro cai bem próximo da sua cabeça.

Kuruma-gaeshi — Arremesso da roda

140.   141.   142.   143.

140. Seu parceiro fica imediatamente de pé e corre para você, a fim de empurrá-lo para trás.
141-43. Logo antes de as mãos dele tocarem seus ombros, ponha suas mãos na parte superior dos braços dele, passando-as por baixo, dê um passo além do pé direito dele com os dois pés e jogue-se para trás.

Mizu-iri — Mergulho na água

144.   145.   146.   147.

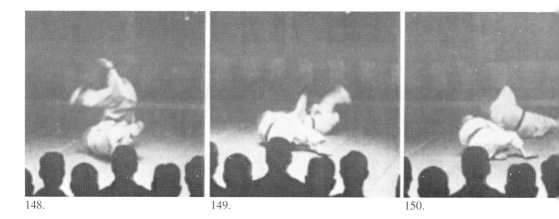

148.   149.   150.

144-45. Seu parceiro fica em pé e corre novamente para você, desta vez tentando empurrar seu ombro esquerdo com a mão direita.

146-50. Segure a mão dele com sua mão esquerda, ponha a mão direita sob o braço direito dele, dê um passo para o lado direito do parceiro e arremesse-o por cima de você.

Ryusetsu — Neve no salgueiro

151.

152.

153.

154.

151. À medida que seu parceiro se levanta, corra em direção a ele. Quando estiver a uns 90 centímetros de distância, estenda o braço direito, com o punho dobrado para baixo, e rapidamente vire a mão para cima, de modo que a palma fique de frente para ele. (Este movimento é conhecido como *kasumi*, que significa literalmente "névoa".) Ele desvia o rosto para a direita. Dê um passo em direção à direita dele. Ele olha de novo para a frente. Segure-lhe a lateral esquerda da gola com a mão direita, passe a esquerda pela axila direita dele e coloque a mão atrás do ombro direito dele.

152-54. Desequilibre-o para a frente, jogue-se para trás e arremesse-o por cima de você.

Sakaotoshi — Queda de cabeça

155.

156.

157.

158. 159.

160.

155. Assim que se levanta, seu parceiro aproxima-se de você e tenta golpeá-lo no estômago com a mão esquerda, como se ela fosse uma faca.

156. Recue um passo com o pé direito, gire para a direita, segure por cima o pulso esquerdo dele com sua mão direita e ponha a mão esquerda, por dentro, na parte superior do braço dele.

157. Puxe-o com força em direção ao canto frontal esquerdo dele.

158-60. Logo antes de cair de rosto no chão, ele se vira e cai de costas.

Yukiore — **Quebra do gelo**

161. Fique em pé e ande para a frente. Seu parceiro fica em pé e vem em sua direção.
162. Ele começa a passar os braços em volta de seus ombros.
163-66. Antes que ele tenha oportunidade de prender os braços ao seu redor, segure-lhe o braço direito com as duas mãos, desça sobre o joelho direito e arremesse-o com um *seoi-nage*.

Iwa-nami — **Onda sobre as rochas**

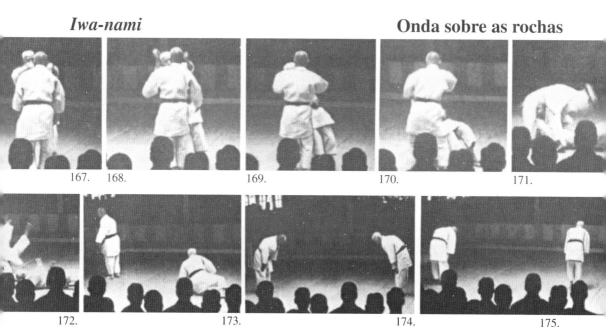

167. Seu parceiro fica em pé e vem em sua direção.
168. Quando ele está a uns 90 centímetros de distância, simule um ataque com as mãos a fim de fazê-lo virar o rosto para a direita.
169-70. Quando ele olhar novamente para a frente, segure a lateral esquerda da gola dele com a mão direita, e a lateral direita com a mão esquerda, deslize o pé além do pé direito dele e jogue-se para trás. Ao cair, puxe-o com força, usando ambas as mãos.
171-73. Seu parceiro passa sobre sua cabeça e, após a queda, levanta-se.
174-75. Retornem à posição inicial, façam uma reverência mútua e depois uma para o *joseki*.

V
SAÚDE E PRIMEIROS SOCORROS

19. Seiryoku Zen'yo Kokumin Taiiku

Como discutimos no Capítulo 2, um sistema de educação física deve possuir, idealmente, três características: promover o desenvolvimento de mentes e corpos fortes e saudáveis, ser interessante e ser útil. O *Seiryoku Zen'yo Kokumin Taiiku* não só satisfaz admiravelmente a todos esses três requisitos, como é muito mais que uma mera ginástica ou que uma simples arte marcial.

Esse *kata* consiste em dois grupos de exercícios. Um é praticado sozinho, o outro com um parceiro. Todos os exercícios, com exceção de um deles, têm aplicação direta na autodefesa.

É necessário a pessoa ter um bom desenvolvimento muscular para ser capaz de executar as técnicas das artes marciais. É bom lembrar que o bem-estar físico não surge por mágica após uma semana ou um mês de treinamento. Sabemos, por experiência, que os alunos principiantes escutam atentamente as instruções fundamentais, já esperando progredir rapidamente para as formas avançadas de combate. Isso é um erro. Primeiro, a fundação deve ser assentada; depois a estrutura vai sendo construída por etapas. Na verdade, é perigoso o aluno tentar o treinamento avançado antes de ter domínio sobre as técnicas preliminares. Aqueles que dão os passos na seqüência correta e treinam de forma apropriada têm como recompensa o desenvolvimento físico perfeito e a maestria nas técnicas.

A Educação Física Nacional de Máxima Eficiência foi criada com a finalidade de agradar ao público de todas as idades. Executar os movimentos é o método ideal de aquecimento para antes de entrar no *randori* ou de praticar o *kata*, e eles também servem para acalmar o corpo após a prática. Quando treinamos com regularidade, os músculos são fortalecidos, gerando mais força para ser aplicada às técnicas do judô, e isso reduz muito o risco de ferimentos durante o *randori*. Por essa razão, há tempos eu recomendo a prática do *kata* particularmente para os iniciantes, as mulheres e as crianças com menos de 15 anos. Assim como dominar as quedas, o *kata* é uma parte fundamental do treinamento de judô, que não pode ser negligenciada por nenhum judoca iniciante.

Nos Exercícios Individuais, existem golpes direcionados contra um atacante imaginário. Esse é um tipo especial de treinamento: nele os músculos devem executar não somente o golpe, mas também pará-lo, pois não há um alvo real. A prática suficiente acaba gerando músculos que reagem facilmente e tem um belo aspecto, como a musculatura dos antigos atletas gregos. É interessante notar como esse tipo de musculatura contrasta com a dos atletas romanos que surgiram depois, cujos músculos tendiam a ser arredondados e maciços.

Tandoku Renshu   EXERCÍCIOS INDIVIDUAIS

Cada um destes exercícios deve ser executado com energia e com o máximo de velocidade no momento do impacto. Se não forem feitos como se você estivesse realmente atacando um inimigo, eles não terão "espírito". Quando golpear com o punho, seu braço deve fazer contato com o alvo em um ângulo reto a ele.

As explicações a seguir são para formas executadas pelo lado direito. Faça os exercícios pelo lado direito e pelo esquerdo ao menos cinco vezes cada. Sempre que for apropriado, retorne à postura natural antes de começar o próximo exercício ou a próxima série.

Goho-ate   Golpe em cinco direções

Hidari-mae-naname-ate   Soco/golpe cruzado frontal pela esquerda

1.   2.   3.

1. Comece na postura natural básica.
2. Feche o punho direito e leve-o para seu lado, as costas da mão para a direita.

3. Soque em direção ao canto frontal esquerdo e fixe os olhos no punho. Seu braço deve estar na mesma linha do ombro. Puxe o braço esquerdo um pouco para trás.

Migi-ate   Soco para o lado direito   *Ushiro-ate*   Soco para trás

4.   5.   6.   7.

4. Leve o punho direito até a frente do ombro esquerdo, com as costas da mão para cima.
5. Soque à direita com a lateral do punho, depois fixe os olhos no punho. Novamente, o braço deve estar na altura do ombro.

6. Estenda para a frente o braço direito. Abra a mão e vire a palma para cima.
7. Imediatamente, golpeie para trás com o cotovelo. Certifique-se de que o cotovelo passe perto de seu corpo.

Mae-ate Golpe frontal

Ue-ate Grande soco para cima

8.

9.

10.

8. Vire a palma da mão direita para baixo e feche o punho. Soque para a frente e fixe os olhos no punho. Seu braço deve estar na altura do ombro, com as costas da mão para cima.

9. Leve o punho direito até o lado direito de seu peito.
10. Vire a cabeça para cima e para a direita e soque diretamente para cima, mantendo os olhos no punho. As costas da mão devem estar voltadas para a direita. Desça o punho até a altura do ombro, depois para baixo, ao seu lado. Abra a mão.

Ogoho-ate Grande golpe para cinco direções

Este grupo difere do *Goho-ate* porque você dá um passo na direção do golpe (exceto no último exercício).

11.

Ohidari-mae-naname-ate
Grande Soco cruzado para a frente e a esquerda

11. Dê um passo, em direção ao canto frontal esquerdo, com o pé direito e soque como no *hidari-mae-naname-ate*.

Oushiro-ate
Golpe para trás

14.

14. Desça o braço direito para a lateral e abra a mão. Recue um passo com o pé direito e golpeie para trás com o cotovelo direito.

Omigi-ate
Grande Soco para o lado direito

12.

13.

12. Leve o punho até o ombro esquerdo.
13. Recue um passo com o pé direito, voltando para a posição original, e soque para o lado direito.

TANDOKU RENSHU 245

| *Omae-ate* | **Grande soco para a frente** | *Oue-ate* | **Grande soco para cima** |

15. Avance um passo com o pé direito e soque para a frente.

16. Leve o pé direito para trás, voltando à posição original, e posicione o punho direito no nível do ombro.
17. Dobre um pouco os joelhos. Salte ou levante-se na ponta dos pés e soque diretamente para cima.

15.   16.   17.

Goho-geri Chute nas cinco direções

A eficiência do chute depende diretamente da estabilidade de todo o corpo. Mantenha os quadris firmes e estáveis.

| *Mae-geri* **Chute frontal** | *Ushiro-geri* **Chute para trás** |

18.

19.

21.

20.

18. Transfira o peso para o pé esquerdo, dobre ligeiramente o joelho direito, vire os dedos do pé para trás e chute a patela do oponente com a frente da sola do pé. Mantenha os olhos nos dedos do pé.

19-20. Leve o pé direito até a altura da coxa e levante a perna até que a coxa esteja na horizontal.
21. Chute diretamente para trás, acertando a patela ou a canela do oponente com o calcanhar. Certifique-se de chutar com a base do calcanhar, não com a área próxima ao tendão de Aquiles.

Hidari-mae-naname-geri   Chute cruzado frontal para a esquerda

22. Dobrando a perna direita, levante o pé em direção ao seu canto posterior direito.
23. Chute, com a frente da sola do pé, a patela do oponente que está posicionado no canto frontal esquerdo.

22.   23.

Migi-mae-naname-geri   Chute cruzado frontal para a direita

24. Leve o pé direito até a lateral externa da perna esquerda.
25. Chute, com a frente da sola do pé, a patela do oponente que está posicionado no canto frontal direito.

24.   25.

Taka-geri   Chute alto frontal

26. Leve o pé direito para trás.
27. Chute, com a frente da sola do pé, o meio do corpo do oponente que está na sua frente.
Nota: Para colocar energia no chute, você deve manter os quadris estáveis.

26.   27.

TANDOKU RENSHU   247

Kagami-migaki — Polindo o espelho

Este é o único exercício simbólico neste *kata*. Para sua execução, a pessoa se imagina polindo um grande espelho. O espelho simboliza a mente humana e o ato de polir simboliza a ética por meio da qual nossa mente é refinada. Para acompanhar este *kata*, escrevi uma canção: "Viver é lutar para que a justiça seja feita... O mais terrível dos inimigos que bloqueiam o caminho da retidão está oculto em nossos corações: os maus pensamentos. Para se livrar do mal, sempre dê polimento ao espelho, mantendo a mente séria". Quer seja contra inimigos visíveis ou invisíveis, execute cada técnica com um verdadeiro espírito de luta.

28.   29.   30.   31.

28. Afaste os cotovelos para os lados e leve as mãos para a frente do peito, com as palmas para fora e os dedos separados.

29. Erga as mãos diante do rosto, primeiro com os dedos sobrepostos (os dedos da mão direita na frente dos da mão esquerda).

30. Mova as mãos em círculos opostos: para cima, para fora, para baixo e depois volta para cima. Deixe que os dedos da mão esquerda fiquem na frente dos da mão direita quando elas se aproximarem de seu rosto. Repita várias vezes esse movimento de polir.

31. Agora faça o movimento na direção oposta: para baixo, para fora, para cima e depois volta para baixo; novamente alternando a mão cujos dedos estarão na frente dos da outra mão.

Nota: Mova as mãos no mesmo plano.

Sayu-uchi — Golpe para os dois lados

32. Feche os punhos e traga os antebraços para o peito, com as palmas para baixo e o braço direito por cima.

33. Golpeie para ambos os lados, de uma só vez, com os punhos.

Relaxe os braços e cruze-os no peito novamente, com o braço esquerdo por cima. Golpeie de novo. Após várias seqüências, abaixe os braços e fique na postura natural básica.

32.   33.

Zengo-tsuki — Golpes para a frente e para trás

34. Feche os punhos e leve-os para o peito, com as palmas para baixo.

35. Golpeie para a frente com ambas as mãos, de uma só vez, mantendo os olhos nos punhos. Seus braços devem estar no nível dos ombros.

36-37. Abra as mãos, vire as palmas para cima e golpeie em direção à retaguarda com os dois cotovelos.

Repita o exercício várias vezes e depois abaixe os braços.

34.   35.   36.   37.

Ryote-ue-tsuki
Golpe com as duas mãos para cima

38. Feche os punhos e levante-os até o peito, com as palmas viradas para dentro.
39. Olhe para cima e soque direto para cima com ambas as mãos, de uma só vez.
Repita o exercício diversas vezes.

38.   39.

Oryote-ue-tsuki
Grande golpe com as duas mãos para cima

Sayu-kogo-shita-tsuki
Golpes para baixo à direita e à esquerda

40.   41.

42.

43.

40-41. Execute os mesmos movimentos do exercício anterior, mas salte ou fique nas pontas dos pés quando golpear.

42. Leve o punho direito até a altura da axila, como se estivesse erguendo uma sacola.
43. Curve-se para a direita e soque para baixo, enquanto ergue o punho esquerdo até a axila esquerda. Mantenha os olhos no punho direito. As costas da mão devem estar voltadas para a direita.

Repita o movimento para a esquerda. Faça várias seqüências, então abaixe os braços.

Ryote-shita-tsuki
Golpes para baixo com ambas as mãos

Naname-ue-uchi
Corte para cima pela frente

46. Leve a mão direita até o ombro esquerdo, com a palma para baixo e o polegar e os dedos retos e unidos.
47. Com a "faca" da mão, golpeie a têmpora direita de um oponente mais alto que você e que está posicionado no canto frontal direito. Mantenha os olhos na mão.

Abaixe a mão direita e faça os mesmos movimentos com a esquerda. Execute várias seqüências, depois assuma a postura natural.

Nota: Nesta técnica e na próxima, tome o cuidado especial de golpear rapidamente.

44.   45.

46.   47.

44. Leve os dois punhos até a altura das axilas.
45. Erga os calcanhares, dobre os joelhos e soque diretamente para baixo, com os dois punhos ao mesmo tempo.

Fique em pé e repita o exercício várias vezes e depois retorne à postura natural.

Naname-shita-uchi

Corte para baixo pela frente

48. Levante a mão direita até o ombro esquerdo, como no exercício anterior.
49. Com a "faca" da mão, golpeie o pulso de um oponente que está no canto frontal direito. Mantenha os olhos na mão. Abaixe a mão direita e execute os mesmos movimentos com a esquerda. Após várias seqüências, retorne à postura natural.

Nota: Nesta e na próxima técnica, tome um cuidado especial ao acrescentar pressão ao seu golpe. (N.T.)

Onaname-ue-uchi

Grande corte para baixo inclinado

50. Levante a mão direita até o ombro esquerdo, como nos dois exercícios anteriores.
51. Estenda o corpo para a direita, ficando na ponta do pé esquerdo, e golpeie, com a "faca" da mão direita, um oponente que está acima de você.
52. Alternativamente, leve a mão direita até o lado superior esquerdo do peito, gire o máximo possível para a direita, deixando o braço esquerdo ir para a frente, e golpeie um oponente que está diretamente atrás de você.

Repita os mesmos movimentos com a mão esquerda e faça várias seqüências, depois assuma a postura natural.

Ushiro-sumi-tsuki

Golpe diagonal para trás

53. Leve o punho direito acima do ombro, com o cotovelo dobrado para fora e para a direita.
54. Gire o máximo possível para a esquerda, sobre a frente da sola do pé direito, mas deixando a perna esquerda parada.
55. Soque para baixo e para trás com o punho direito.

Repita o exercício com a mão esquerda, executando várias seqüências. Retorne depois à postura natural.

Ushiro-uchi

Golpe para trás

56-57. Movendo o braço direito em sentido horário, em um grande círculo diante de você, leve-o para cima, como se fosse limpar a testa com as costas do pulso, depois soque para baixo, na sua retaguarda direita.
58. Ao socar, gire o corpo e o pescoço o máximo possível para a direita. Mantenha os olhos no punho.

Repita os movimentos com o braço esquerdo, executando várias seqüências, e depois retorne à postura natural.

Ushiro-tsuki/mae-shita-tsuki | Golpe para trás/para baixo

59.   60.   61.

59. Dobre os braços e levante os punhos, na frente dos ombros, com as costas das mãos viradas para fora. Curve-se para trás e soque por cima dos ombros, em direção a um oponente que está atrás de você. Seus punhos, com as costas das mãos viradas para cima, devem passar perto de suas orelhas.
60. Afaste os cotovelos para os lados e retorne à posição ereta.
61. Curve-se para a frente e soque direto para baixo, com as costas dos punhos viradas para fora. Repita os movimentos várias vezes e depois retorne à postura natural.

Sotai Renshu | EXERCÍCIOS DE ARTICULAÇÕES

Esse grupo de exercícios é composto pelo *Kime Shiki* (Formas de Decisão) e pelo *Ju Shiki* (Formas de Gentileza). Dentre as formas de *Kime Shiki* estão a *idori* (movimentos de joelhos) e *tachiai* (movimentos em pé).

Quando você terminar todas as técnicas *Sotai Renshu*, repita-as (exceto o *gyaku-te-dori*) pelo lado esquerdo. Depois se sente e faça uma reverência para sua parceira,* como fez antes de iniciar o *Tandoku Renshu*.

Kime Shiki | Formas de decisão

IDORI | Técnicas de joelhos

Ryote-dori | Pegada com as duas mãos

62.   63.   64.

65.   66.   67.   68.

62. Sente-se e faça uma reverência para sua parceira, a uma distância de 1,8 metro. Você, o *tori*, deve ficar à esquerda.
63. Fechem os punhos e movam-se juntos para a frente, usando os braços como apoio, até que seus joelhos estejam a 10 ou 12 centímetros de distância, e então coloquem os punhos sobre as coxas.
64. Sua parceira segura seus pulsos, com os polegares por dentro.

65. Puxe as mãos para os lados e erga-se sobre as pontas dos pés.
66. Mova o joelho esquerdo para fora e para a esquerda.
67-68. Com o pé direito, dê um passo por fora do joelho direito da parceira e libere sua mão direita, puxando-a em direção ao seu ombro esquerdo.
    Sente-se e coloque os punhos sobre as coxas.

---

* No original, o *uke* é mulher, portanto todos os termos foram mantidos no feminino. (N.T.)

Furihanashi — Soltando-se

69. 70.

69. Repita os movimentos da última técnica, mas depois de liberar a mão direita, coloque o pé direito entre os joelhos da parceira e tente golpeá-la entre os olhos com a "faca" da mão direita. Ela bloqueia o golpe, segurando seu pulso com a mão esquerda.
70. Recue um passo largo com o pé direito e passe rapidamente a mão direita para o lado direito. Procure pressionar o lado do dedo mínimo de sua mão contra a área entre o polegar e o dedo indicador da parceira, e libere seu pulso ao puxar.

Gyakute-dori — Pegada reversa com as duas mãos

71. Sua parceira segura seus pulsos, com os polegares por fora.
72. Levante o joelho direito, pondo-o contra o estômago dela, e erga-se sobre os dedos do pé esquerdo. Puxe suas mãos diretamente para trás.
73. Como alternativa você pode juntar as mãos atrás das costas depois de soltá-las.

71. 72. 73.

Tsukkake — Soco no estômago

74. 75. 76.

77. 78.

74-75. Sua parceira empurra a mão direita em direção ao seu estômago. Levante o joelho direito e mova o pé direito para trás, girando para a direita. Evite o golpe, empurrando o cotovelo direito dela com a mão esquerda.
76. Segure o pulso direito da parceira com a mão direita e coloque-o em sua coxa direita. Passe seu braço esquerdo pelo peito dela.
77-78. Com seu abdome, pressione o cotovelo dela para baixo, até que ela reconheça a derrota, batendo no próprio corpo com a mão livre.

Kiri-gake — Corte da cabeça

79. 80. 81. 82.

83. 84. 85.

79. Sua parceira tenta soltar uma falsa espada curta, que está no lado esquerdo dela, pressionando na guarda da espada com o polegar da mão esquerda.
80-81. Ela ergue então o joelho direito, desembainha a espada com a mão direita e tenta golpear você na cabeça. Nesse momento, você ergue o joelho direito e recua um passo com o pé direito, girando para o lado direito. Evite o golpe, empurrando o cotovelo direito dela com sua mão esquerda.
82-83. Com sua mão direita, segure por baixo o pulso direito da parceira e prenda-lhe o braço em sua axila esquerda. Também ponha sua mão esquerda no pulso dela, por baixo.
84-85. Empurre o cotovelo da parceira com todo o seu corpo. Se for necessário, gire o braço dela para longe de você. Solte-a quando ela assinalar que está derrotada.

TACHIAI — Técnicas em pé

Tsuki-age — Soco "Uppercut"

86. 87. 88.

86. Fique em pé, de frente para a parceira. Vocês devem estar a uns 60 centímetros de distância um do outro.
87. Ela avança um passo com o pé direito e tenta dar um soco em seu queixo com a mão direita. Recue um passo com o pé direito, gire o quadril para a direita e segure-lhe o antebraço direito com a mão esquerda.
88. Gire de volta para a esquerda e soque-a no estômago com o punho direito.

Yoko-uchi — Golpe lateral

89. Fique a 60 centímetros de distância da parceira.
90. Ela leva o punho direito para trás e golpeia na direção de sua têmpora esquerda, enquanto avança um passo com o pé direito. Rapidamente, recue um passo com o pé direito, abaixe os quadris e vire-os para a direita.
91. Ao mesmo tempo, evite o golpe com a mão esquerda. Aprume-se e leve o punho direito em direção aos quadris.
92. Gire os quadris de volta para a esquerda e soque a parceira entre os olhos.

89. 90. 91. 92.

Ushiro-dori — Segurando por trás

93.   94.   95.

93. Sua parceira fica a uns 60 centímetros de distância, atrás de você. Com o pé direito, ela dá um passo por fora de seu pé direito e começa a passar os braços em volta de seu corpo, pondo o lado direito da cabeça contra o lado esquerdo de seu pescoço para impedir que você lhe dê uma cabeçada na testa.

94. Antes que ela aperte a pegada, abaixe os quadris, abra os braços para os lados e recue um passo com o pé esquerdo, em direção à diagonal esquerda.

95. Golpeie o estômago da parceira com seu cotovelo direito, recuando um passo com o pé direito, se necessário. Certifique-se de golpear com firmeza.

Naname-tsuki — Corte da carótida

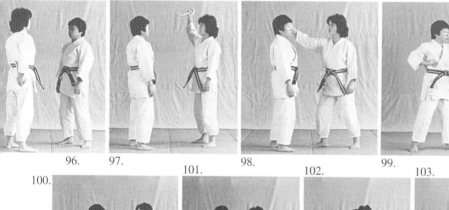

96.   97.   98.   99.

100.   101.   102.   103.   104.

96. Sua parceira fica a uns 60 centímetros de distância diante de você, escondendo uma faca na mão direita.

97-98. Ela avança um passo com o pé direito e tenta cortar sua traquéia pelo lado esquerdo.

99. Escape do ataque, recuando um passo com o pé direito, girando para a direita e abaixando o quadril. Afaste o braço direito dela com sua mão esquerda.

100. Pressione o braço dela para baixo com sua mão esquerda, depois a soque com força entre os olhos com a mão direita, enquanto gira para a sua esquerda. Avance um passo com o pé esquerdo, se necessário.

101-03. Caminhe para trás dela e segure-a com o braço direito.

104. Coloque a palma da sua mão esquerda no peito dela, perto do ombro esquerdo, e, enquanto a puxa em sua direção com a mão esquerda, empurre a cabeça dela para a frente com a mão direita, pondo-lhe pressão no ombro direito. Solte-a quando ela desistir.

Kirioroshi — Corte para baixo

105.

106.

107.

108.

109.

110.

111.

105. Sua parceira fica à sua frente, a uma distância de 1,8 metro, com uma espada (a lâmina voltada para cima) no lado esquerdo. Ela tira a espada da bainha, pressionando a guarda com o polegar esquerdo.
106. Recuando um passo com o pé esquerdo e girando para a esquerda, ela desembainha a espada com a mão direita e aponta-a para sua cabeça (entre os olhos).
107. A seguir, ela leva o pé esquerdo para junto do pé direito e coloca a mão esquerda no punho da espada.
108. Recuando um passo com o pé direito, ela levanta a espada acima da cabeça.
109. Depois avança um passo com o pé direito e mira um golpe em sua cabeça. Rapidamente, dê um passo para a esquerda da parceira, gire para a sua direita e coloque a mão esquerda no antebraço dela.
110. Segure por cima o pulso dela com sua mão direita e prenda-o com força contra sua coxa direita. Passe seu braço esquerdo pelo peito dela.
111. Com seu abdome, pressione o cotovelo direito dela, até que ela se renda.

Quando completar todas as técnicas do *Sotai Renshu*, repita-as pelo lado esquerdo, exceto a *gyakute-dori*. Então se sente e faça uma reverência para sua parceira, como você fez antes de começar o *Tandoku Renshu*.

Ju Shiki — Formas de gentileza

Este grupo de exercícios é composto pelas dez técnicas do *Ju no Kata*. Todas são praticadas como no *kata*. A distância inicial é de cerca de 2 metros. Os exercícios estão divididos em dois grupos:

Grupo 1
Tsuki-dashi, kata-oshi, kata-mawashi, kiri-oroshi, katate-dori.

Grupo 2
Katate-age, obi-tori, mune-oshi, tsuki-age, ryogan-tsuki.

20. *Kappo*

Sasoi-katsu

1-2. O paciente deve estar sentado à sua frente, com uma perna dobrada. Dobre seu joelho direito e encoste a patela na coluna vertebral dele, deixando seu calcanhar direito afastado do tatame. Abra os dedos e ponha as mãos na parte inferior do peito dele, prendendo os dedos abaixo das costelas inferiores. Puxe, como se quisesse abrir para os lados as costelas do paciente, aplique seu peso nos ombros dele a fim de curvar-lhe o corpo para trás, e pressione para a frente com o joelho direito, deixando o calcanhar afastar-se do tatame. Isso levará o ar para dentro dos pulmões dele. Quando as costelas estiverem abertas o máximo possível, solte-as. O ar será expirado dos pulmões. Repita o processo lentamente e com regularidade, de 10 a 15 vezes por minuto, até que ele comece a respirar sozinho. Se você notar que ele faz algum esforço para respirar, tente ajudar os movimentos, não se opor a eles.

Método indutivo

Durante a prática e em competições, às vezes um judoca fica asfixiado, chegando à inconsciência, e pára de respirar. Ele pode estar sufocado em conseqüência de congestão, anemia, compressão cerebral ou oxidação incompleta na corrente sanguínea causada por pressão na artéria carótida, na traquéia ou nos nervos vagos. Se o *kappo* (as técnicas de ressuscitação) é aplicado imediatamente, não há motivo para alarme.

O *kappo* foi desenvolvido como parte do jujutsu, no século XVIII, juntamente com o *sappo,* a arte de ataque aos pontos vitais. Ambas eram tratadas como artes secretas. A instrução era feita oralmente e os alunos estavam proibidos de passar adiante seu conhecimento sem a permissão do mestre.

Muitos métodos de *kappo* foram criados, incluindo o *tanden-katsu* (método do baixo-ventre), o *jinzo-katsu* (método do rim), o *dekishi* ou *sushi-katsu* (tratamento para vítimas de afogamento) e *ishi-katsu* (tratamento de manipulação). As quatro técnicas mostradas a seguir são as mais utilizadas.

Eri-katsu — Método da gola

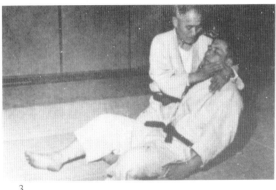
3.

4.

5.

6.

3. Ajoelhe-se à direita do paciente e apóie-lhe a parte superior do corpo, com seu braço esquerdo em volta do ombro dele.
4. Ponha a palma da sua mão direita no abdome dele, logo acima do umbigo, e pressione para cima contra o plexo solar ou a boca do estômago. Isso fará com que o diafragma suba, expelindo o ar dos pulmões.
5. Reforce a ação, dobrando-lhe para a frente a parte superior do corpo com seu braço esquerdo.
6. Suavemente, solte a pressão para permitir que o ar entre nos pulmões. Repita esse procedimento até que a respiração dele se restabeleça.

Se você quiser administrar algum medicamento, primeiro abra a boca do paciente com a mão direita, enquanto mantém a mão esquerda na testa, e peça para outra pessoa colocar o medicamento na boca. Depois, feche-lhe a boca, mantenha-a fechada com a mão esquerda e aplique o *eri-katsu*.

Antes de aplicar qualquer uma das técnicas de ressuscitação, é importante você verificar que nada esteja obstruindo a passagem de ar para os pulmões da vítima – por exemplo, alimentos, água, a língua ou outros objetos. Alimentos e outros objetos podem ser removidos com os dedos. Se necessário, peça para alguém segurar a língua do paciente ou então a amarre com um elástico e passe a ponta do elástico pelo queixo dele.

No caso de uma vítima de afogamento, primeiro você deve tirar-lhe a água dos pulmões, deitando-a de bruços, com a cabeça mais baixa que os pés, e pressionar-lhe a parte inferior das costas. Então a vire de barriga para cima e aplique o primeiro *so-katsu*. O ideal seria rolar algum tipo de cilindro sobre abdome e o peito. A vítima deve ser mantida aquecida, tanto quanto possível.

Uma pessoa que ficou inconsciente após uma queda deve ser rapidamente colocada em uma cama, com os pés elevados, e mantida aquecida. Evite dar-lhe medicamentos, e chame um médico imediatamente.

So-katsu   Método composto

7.　　　　　　　　　　　　　8.

7. Deite o paciente de costas e ajoelhe-se sobre ele. Coloque as mãos (os dedos bem abertos e apontados para a cabeça) na base da caixa torácica dele. Curve-se para a frente e pressione contra as costelas para fazer com que ele exale, depois relaxe a pressão. Repita esse processo, balançando para a frente e para trás, até que ele possa respirar sozinho.

8. Uma variação desse método é chamada de *jinzo-katsu* (método do rim). O paciente fica deitado de bruços e lhe é aplicada uma pressão para cima na cintura ou na região dos rins.

Kogan-katsu   Método do testículo

9.

10.

Também chamado de *inno katsu* (método do escroto), este não é um método de ressuscitação, mas um tratamento para o homem que teve os testículos empurrados para dentro da pélvis por causa de um arremesso descuidado, como em *uchi-mata*, *ouchi-gari* ou *tomoe-nage*, ou então por um chute.

9. Coloque, por trás, os braços sob as axilas do paciente e prenda as mãos uma na outra.
10. Levante-o um pouco e deixe-o cair. Repita se for necessário.
11. Alternativamente, chute-o de leve na parte inferior das costas com a frente da sola do pé.

11.

Apêndice A: Cronologia de Jigoro Kano

1860   Nasce em Mikage, no distrito regional de Hyogo, no dia 28 de outubro. É o terceiro filho de Jirosaku Mareshiba Kano, e recebe o nome de Shinnosuke, como nome de infância.

1871   Entra para a Seitatsu Shojuku, uma escola particular em Tóquio, onde aprende com o professor Keido Ubukata.

1873   Entra para a Ikuei Gijuku, uma escola particular em Karasumori, Shiba, Tóquio. Recebe aulas especiais em inglês e alemão de professores nativos.

1874   Entra para a Tokyo School of Foreign Languages [a escola de línguas estrangeiras de Tóquio].

1875   Entra para a escola Kaisei.

1877   Entra para a escola Tenshin Shin'yo, onde aprende com o professor Hachinosuke Fukuda. Recebe aulas de jujutsu pela primeira vez.

1881   Gradua-se pela Universidade Imperial de Tóquio, em Literatura, Política e Economia Política.

1882   Torna-se conferencista em Gakushuin e, mais tarde, professor. Funda a Kodokan.

1883   Funda a Kobunkan, uma escola para alunos chineses, e se torna seu diretor.

1886   Nomeado vice-diretor de Gakushuin.

1889   Renuncia ao cargo de vice-diretor de Gakushuin para aceitar um cargo no Departamento da Casa Imperial. Realiza uma viagem de estudos, visitando instituições educacionais na Europa.

1891   Torna-se diretor da Quinta Escola Superior, no distrito regional de Kumamoto.

1893   Torna-se diretor da Primeira Escola Superior, em Tóquio, e depois diretor da Escola Normal Superior de Tóquio.

1897   Renuncia ao cargo de diretor da Escola Normal Superior de Tóquio, e depois reassume o cargo.

1901   Torna-se diretor da Escola Normal Superior de Tóquio pela terceira vez. Nessa época, o judô e o kendo passam a desfrutar uma grande popularidade.

1908   A Assembléia Legislativa aprova por unanimidade um projeto de lei que exige que todas as escolas de ensino médio ofereçam aulas de jujutsu e de esgrima *gekiken*.

1909   É o primeiro japonês a se tornar membro do Comitê Olímpico Internacional.

1922   É eleito para a Câmara Alta do Japão.

1928   Comparece aos Jogos Olímpicos de Amsterdã, como membro do Comitê Olímpico Internacional.

1938   Comparece ao encontro do Comitê Olímpico Internacional no Cairo, onde propõe que Tóquio seja a sede da 12ª Olimpíada. Morre no navio, no dia 4 de maio, quando retornava dessa viagem.

Apêndice B: Guia para a Kodokan

LOCALIZAÇÃO

A Kodokan, formalmente chamada de Kodokan International Judo Center [Centro Internacional de Judô da Kodokan], está localizada na interseção de Kasuga, no bairro Bunkyo, e seu endereço é 16-30 Kasuga 1-chome, Bunkyo-ku, Tokyo 112-0003. O número de telefone é (03) 3811-7152. O novo edifício de concreto armado, com oito pavimentos, foi concluído em março de 1984.

A Kodokan tem fácil acesso por transporte público. Fica a uma curta distância a pé de três estações: estação Suidobashi (linha Sobu), da Japan National Railway [estrada de ferro nacional do Japão]; estação Korakuen, da linha de metrô Marunouchi; e estação Kasuga, da linha de metrô Mita. Há diversos ônibus que param em frente ao Bunkyo Ward Office [repartição do bairro Bunkyo], logo na esquina.

Novo Prédio	Prédio Principal
8º andar	
7º	7º andar
6º	6º
5º	5º
4º	4º
3º	3º
2º	2º
1º	1º
SS	SS

Novo prédio

SS (subsolo)	Restaurante
1º andar	Entrada
	Estacionamento
2º andar	Livraria
	Arquivos
	Memorial a Kano
	Hall da Fama do Judô
	Centro de Pesquisa
	Salão de Exibições
	Salão de Conferências
	Sala de Aulas
3º andar	Alojamentos
4º andar	Vestiários
	Entrada do *Dojo*
5º andar	*Dojo* Feminino
	Dojo Masculino
	Dojo Especial
6º andar	*Dojo* Escola
	Dojo da Divisão Internacional
7º andar	*Dojo* Principal
8º andar	Assentos para Espectadores

Prédio Principal

SS (subsolo)	Sala de treinamento
1º andar	Estátua do Mestre Jigoro Kano
	Seção Contábil
	Escritório da Gerência do *Dojo*
	Clube dos Membros
	Divisão de Assuntos Internacionais
2º andar	Manutenção do Edifício
	Equipamentos e Suprimentos
	Gerência de Serviços e Taxas
	Escritório do Comitê Promocional
	Escritório Editorial
	Federação de Judô para todo o Japão
	Seção de Judô da Federação Atlética das Escolas de Segundo Grau
	Seção de Judô da Federação Atlética de Escolas de Primeiro Grau
	Federação de Judô de Tóquio
	Federação dos Clubes de Judô Juvenil para todo o Japão
3º andar	Escritório da Presidência
	Salão de Conferências
	Sala do Conselho
4º andar	Assuntos Gerais
	União de Judô da Ásia
5º andar	*Dojo* de Pesquisa
6º andar	Federação de Judô Universitário para todo o Japão

INSCRIÇÕES

Qualquer pessoa de qualquer nacionalidade pode ingressar na Kodokan. Para requerer sua inscrição como membro, é necessário preencher apenas um formulário de inscrição e encaminhá-lo, juntamente com a taxa de inscrição, para o Departamento Contábil. O interessado receberá um certificado de membro da Kodokan e um cartão magnético, que é necessário para entrar no edifício.

Até o momento, aproximadamente 1,8 milhão de homens e 55 mil mulheres tornaram-se membros.

HORÁRIOS DE TREINAMENTOS

A Kodokan está aberta para treinamento entre 15h30m e 20h30m, de segunda-feira a sábado. Fica fechada nos domingos e feriados nacionais, bem como nas férias de Ano Novo, de 29 de dezembro a 3 de janeiro.

INSTRUÇÕES

Os membros da Kodokan pagam uma taxa mensal e treinam nos horários que lhes são mais convenientes. Eles recebem instruções de professores credenciados pela Kodokan e de membros graduados da Kodokan. Além das aulas regulares, há uma escola com uma Seção Especial para Homens, uma Divisão Feminina e uma Divisão Internacional.

Na Divisão Internacional, há instalações especiais que estão à disposição dos membros de outros países. Nessa Divisão, os membros são distribuídos em quatro grupos: Iniciantes, Classe A, Classe B e Especial. Todos os instrutores viveram em outros países e estão familiarizados com as necessidades dos estudantes estrangeiros.

JUDO MAGAZINE

A Kodokan publica a revista *Judo*, que funciona como um órgão oficial para toda a Federação de Judô do Japão. Para requerer sua assinatura, encaminhe correspondência para o Departamento Editorial da Kodokan.

EVENTOS ANUAIS

O principal evento anual é o *Kagami-biraki*, que marca a reabertura do *dojo*, após as férias de Ano Novo, e o início do treinamento de inverno (*kangeiko*).

O Nation Upper Division Tournament [torneio nacional da divisão superior] e o All Japan Championships [campeonatos de todo o Japão] ocorrem no mês de abril. Outros eventos incluem o Spring Red and White Tournament [torneio vermelho e branco da primavera], em maio; o Midsummer Training [treinamento do meio do verão], em julho; o All Japan Women's Championships [campeonatos femininos de todo o Japão], em setembro; e o Autumm Red and White Tournament [torneio vermelho e branco do outono], em outubro. Os exames para mudança de grau são mensais.

Glossário

ago-tsuki, soco para cima (uppercut), 200
ago-oshi, empurrão no queixo, 213
ashi-ate, golpes com a perna, 59
ashi-fumi, pisada com o pé, 62
ashi-garami, chave de perna, 175
ashi-guruma, giro através da perna, 83
ashi-waza, técnicas de pé e perna, 59
atemi-waza, técnicas de ataques contundentes, 59
ayumi-ashi, estilo natural de caminhar, 43

choku-zuki, soco e empurrão retos, 203

dakiage, levantamento para o alto arremessando, 106
dan, grau, 31
deashi-harai, movimento de rasteira para a frente, 64
dekishi (suishi)-katsu, tratamento para vítimas de afogamento, 256
denko, hipocôndrio, 142
Do, princípio, caminho, 20
dojo, local de prática, 30
dokko, processo mastóide, 142

eri-katsu, método da gola, 257

furiage, movimento para cima contra bastão, 204
furihanashi, soltando-se, 252
furioroshi, movimento para baixo contra bastão, 205

gammen-tsuki, soco-empurrão em direção ao rosto, 200
gekiken, escola de esgrima, 259
getsuei, hipocôndrio, 142
go no sem no waza, contra-arremesso, 92
goho-ate, golpe em cinco direções, 244
goho-geri, chute nas cinco direções, 246
Gokyo no Waza, cinco grupos de instruções, 63
gyaku-juji-jime, chave cruzada reversa, 122
gyakute-dori, pegada reversa com as duas mãos, 252

hadaka-jime, chave de estrangulamento sem usar o judogi, 124
haimen-zuke, pistola nas costas, 207
hane-goshi, levantamento com o quadril e perna, 84
hane-goshi-gaeshi, contra-ataque com giro pelo quadril, 109
hane-makikomi, arremesso para cima, segurando em volta, 90
hara-gatame, chave de braço com estômago, 179
harai-tsurikomi-ashi, rasteira com o pé, levantando e empurrando, 85
harai-goshi, rasteira usando o quadril, 78
harai-goshi-gaeshi, contra-ataque com rasteira pelo quadril, 110
harai-makikomi, arremesso com "ceifada" com o quadril, 112

hidari-eri-dori, pegada no lado esquerdo da gola, 197

hidari-jigotai, postura defensiva pela esquerda, 41

hidari-mae-naname-ate, soco/golpe cruzado frontal pela esquerda, 244

hidari-mae-naname-geri, chute cruzado frontal para a esquerda, 247

hidari-shizentai, postura natural pela esquerda, 41

hiji-ate, golpes com o cotovelo, 62

hikiotoshi, queda com puxão, 232

hiza-gashira-ate, golpes com o joelho, 62

hiza-guruma, rodar pelo joelho, 65

hiza-zume, sentando-se a dois punhos de distância, 177

hon-kesa-gatame, imobilização prendendo o pescoço e braço, 114

idori, técnicas de joelhos, 150

inno katsu, método do escroto, 258

ippon-seoi-nage, arremesso um braço e o ombro, 71

ishi-katsu, tratamento de manipulação, 256

Itsutsu no Kata, As Cinco Formas, 151

iwa-nami, onda sobre as rochas, 240

jigo hontai, postura defensiva básica, 41

jinchu, philtrum [cavidade vertical entre o nariz e o lábio superior], 142

jinzo-katsu, método do rim, 256

jodan, posição de espada, por cima da cabeça, 194

joseki, assento de honra, 152

Ju no Kata, Formas de Gentileza, 150

Ju Shiki, Formas de Gentileza, 255

ju, gentileza, dar a vez, 20

judogi, roupa para treinamento de judô, 31

jujutsu, a arte da gentileza, 20

jutsu, arte, prática, 20

kachikake, queixo, 142

kachi-kake, ver *tsukiage*

kagami-migaki, polindo o espelho, 248

kakae-dori, segurar e prender por trás levantando, 200

kakato-ate, golpes com calcanhar, 62

kake, fazer um arremesso, 48

kami-ate, golpes para cima, 140

kami-shiho-gatame, aprisionamento da parte superior pelos quatro pontos, 117

kangeiko, treinamento de inverno, 263

kani-basami, arremesso tesoura, 110

kansetsu-waza, técnicas de articulações, 59

kappo, técnicas de ressuscitação, 256

kasumi, finta (literalmente "névoa"), 239

kasumi, têmpora, 142

kata, forma, 25

kata-gatame, prender com o ombro e pescoço, 116

kata-guruma, giro pelo ombro, 87

kata-ha-jime, chave com um braço na nuca, 126

kata-juji-jime, meia chave de estrangulamento cruzada combinada, 123

kata-mawashi, virada do ombro, 212

Katame no Kata, formas de segurar, 149

katame-waza, técnicas de agarramento, 59

kata-oshi, empurrão no ombro, 210

katate-age, erguendo com uma mão, 218

katate-dori, pegada com uma só mão, 218

katate-jime, estrangulamento com uma mão, 127

kataude-dori, pegada com uma só mão, 198

kawazu-gake, captura envolvendo com uma perna, 110

keage, chute na virilha, 189

kesa-gatame, pegada de pescoço e braço, 114

kibisu-gaeshi, queda com uma mão segurando a perna, 104

Kime no Kata, formas de decisão, 150

Kime Shiki, formas de decisão, 251

kiri-gake, corte da cabeça, 253

kirikomi, corte para baixo, 183

kirioroshi, corte para baixo, 194

Kito-ryu no Kata, formas da escola Kito, 151

kobushi-ate, golpes com punho, 62

Kodokan Goshin Jutsu, formas de autodefesa Kodokan, 150

ko-daore, queda da árvore, 233

kogan-katsu, método do testículo, 258

koshi-gamae, pistola segurada pelo lado, 206

koshi-guruma, giro pelo quadril, 74

Koshiki no Kata, formas antigas, 151

koshi-waza, técnicas de quadril, 59

kosoto-gake, pequeno gancho por fora, 80

kosoto-gari, pequena rasteira por fora, 72

kotsuri-goshi, pequeno arremesso de quadril, 81

kouchi-gaeshi, contra-ataque de arremesso, com pequena rasteira por dentro, 109

kouchi-gari, pequena rasteira por dentro, 73

kuruma-daore, arremesso da roda, 234

kuruma-gaeshi, arremesso da roda, 238

kuchiki-taoshi, queda com uma mão segurando o calcanhar, 104

kuzure-kami-shiho-gatame, variação do aprisionamento da parte superior pelos quatro pontos, 118

kuzure-kesa-gatame, variação da pegada pescoço e braço cruzado, 115

kuzure-yoko-shiho-gatame, pegada quebrada lateral pelos quatro cantos, 119

kuzushi, desequilíbrio, 46

kyoshi, postura alta de joelhos, 164

kyu, classe, 31

mae-ate, golpe frontal, 245

mae-geri, chute frontal, 202

ma-sutemi-waza, técnicas de sacrifício supino, 59

migi-ate, soco para o lado direito, 244

migi-eri-dori, pegada no lado direito da gola, 198

migi-jigotai, postura defensiva pela direita, 41

migi-mae-naname-geri, chute cruzado frontal para a direita, 247

migi-shizentai, postura natural pela direita, 41

mi-kudaki, despedaçando o corpo, 237

mizu-guruma, roda d´água, 231

mizu-iri, mergulho na água, 238

mizu-nagare, fluxo da água, 232

morote-gari, derrubar agarrando com as duas mãos, 104

morote-zuki, empurrão com as duas mãos contra bastão, 205

mune-oshi, empurrão no peito, 220

myojo, hipogástrio, 142

Nage no Kata, formas de arremesso, 149

Nage-waza, Técnicas de projeção, 59

Nami-juji-jime, chave cruzada normal, 121

Naname-ate, grande soco cruzado, 140

Naname-geri, chute cruzado, 140

Naname-shita-uchi, corte para baixo pela frente, 250

Naname-tsuki, corte da carótida, 254

Naname-ue-uchi, corte para cima pela frente, 249

Naname-uchi, golpe diagonal, 200

Naname-zuki, facada inclinada, 204

ne-waza, técnicas de chão, 59

nokori ai, forma de prática do kata, 145

Nuki-kake, quase desembainhando a espada, 193

obi-tori, segurando pela faixa, 219

ogoho-ate, grande golpe para cinco direções, 245

o-goshi, grande arremesso com o quadril, 69

o-guruma, grande giro, 93

ohidari-mae-naname-ate, grande soco cruzado para a frente e a esquerda, 245

okuri-ashi-harai, rasteira com o pé, 76

okuri-eri-jime, chave deslizante de gola, 125

omae-ate, grande soco para a frente, 246

omigi-ate, grande soco para o lado direito, 245

omote, frente, 228

onaname-ue-uchi, grande corte para baixo inclinado, 250

oryote-ue-tsuki, grande golpe com as duas mãos para cima, 249

osae-komi-waza, técnicas de aprisionamento, 59

osoto-gaeshi, contra-ataque de arremesso, com grande rasteira por fora, 107

osoto-gari, grande rasteira externa, 68

osoto-guruma, grande giro externo, 96

osoto-makikomi, arremesso com grande enganchamento por fora, 112

otsuri-goshi, grande arremesso de quadril, 81

ouchi-gaeshi, contra-ataque de arremesso, com grande rasteira por dentro, 108

ouchi-gari, grande rasteira por dentro, 70

oue-ate, grande soco para cima, 246

oushiro-ate, golpe para trás, 245

Randori no Kata, formas de exercício livre, 149

randori, prática livre, 25

ryogan-tsuki, golpe nos dois olhos, 141

ryokata-oshi, empurrão nos dois ombros, 216

ryokuhi, evitando a força, 230

ryote-dori, pegada com as duas mãos, 178

ryote-jime, estrangulamento com as duas mãos, 127

ryote-shita-tsuki, golpes para baixo com ambas as mãos, 249

ryote-ue-tsuki, golpe com as duas mãos para cima, 249

ryusetsu, neve no salgueiro, 239

sakaotoshi, queda de cabeça, 239

sankaku-jime, estrangulamento triangular, 128

sappo, arte de atacar pontos vitais, 256

sasae-tsurikomi-ashi, arremesso com o pé de apoio "levantar e puxar", 66

sasoi-katsu, método indutivo, 256

sayu-kogo-shita-tsuki, golpes para baixo à direita e à esquerda, 249

sayu-uchi, golpe para os dois lados, 248

seigen, posição da espada, ponta na altura dos olhos, 194

Seiryoku Zen'yo Kokumin Taiiku, Educação Física Nacional de Máxima Eficiência, 24

seiza, posição formal sentada, 35

sekito-ate, golpe com a parte da frente inferior do pé, 62

seoi-nage, arremesso pelo ombro e braço, 71

shikko, mover-se sobre um joelho, 164

shikoro-dori, segurando pelo pescoço, 235

shikoro-gaeshi, torcendo as vértebras do pescoço, 235

Shimmeisho no Waza, novas técnicas, 63

shime-waza, técnicas de estrangulamento, 59

shimo-tsuki, golpe para baixo, 140

Shinken Shobu no Kata, formas de combate, 150

shintai, movimento para a frente, para trás e para os lados, 43

shitsu, joelho, 142

shizen hontai, postura natural básica, 41

shizentai, postura natural, 41

shomen, frente, 152

shomen-zuke, pistola no abdome, 206

sode-guruma-jime, estrangulamento em roda com a manga, 127

sode-tori, pegada pela manga, 186

sode-tsurikomi-goshi, arremesso com o quadril com levantamento e puxão pela manga, 75

so-katsu, método composto, 258

Sotai Renshu, exercícios de articulações, 251

soto-makikomi, arremesso para fora, segurando em volta (Golpe de sacrifício), 94

suigetsu, plexo solar, 142

sukui-nage, arremesso levantando as duas pernas e jogando para trás, 91

sumi-gaeshi, arremesso para a diagonal (Técnica de sacrifício), 88

sumi-otoshi, arremesso para a diagonal, 102

suri-age, golpe contra a testa, 180

sutemi-waza, técnicas de sacrifício, 59

tachiai, técnicas em pé, 150

tachi-waza, técnicas em pé, 59

tai, postura de alerta, 228

taijutsu, jujutsu, 19

tai-otoshi, queda de corpo, 77

tai-sabaki, controle do corpo, 43

taka-geri, chute alto frontal, 247

taki-otoshi, queda da cachoeira, 236

tanden-katsu, método do baixo-ventre, 256

Tandoku Renshu, exercícios individuais, 244

tani-otoshi, queda do vale, 89

tate-shiho-gatame, aprisionamento frontal, segurando pelos quatro cantos, 120

te-gatame, chave de mão, 199

tegatana-ate, golpes com a faca da mão, 62

tendo, bregma, 142

te-waza, técnicas de mão, 59

tomoe-nage, arremesso circular de sacrifício frontal, 86

tori, quem toma, 63

tsubame-gaeshi, contra-ataque, 107

tsugi-ashi, movendo-se com um pé liderando e o outro seguindo, 43

tsukiage, soco "*uppercut*", 187

tsukidashi, empurrão com a mão, 141

tsuki-kake, ver *tsukkake*

tsukkake, soco no estômago, 179

tsukkomi, ataque com faca em direção ao estômago, 182

tsukkomi-jime, estrangulamento empurrando, 128

tsukuri, posição para arremesso, 48

tsurigane, testículos, 142

tsuri-goshi, arremesso levantando com o quadril pela faixa, 81

tsurikomi, levantando e puxando, 85

tsurikomi-goshi, arremesso com o quadril, levantando e puxando, 75

uchikudaki, despedaçando, 233

uchi-mata, arremesso levantando por entre as pernas, 79

uchi-mata-gaeshi, contra-ataque do arremesso que engancha pela parte interna da coxa, 110

uchi-mata-makikomi, arremesso enganchando pela parte interna da coxa, 112

uchi-mata-sukashi, desvencilhar a entrada entre as pernas, 106

uchioroshi, golpe para baixo, 222

ude-ate, golpes com mão e braço, 62

ude-garami, chave de braço, 129

ude-gatame, chave de braço, 199

ude-hishigi-ashi-gatame, chave de braço com a perna, 133

ude-hishigi-hara-gatame, chave da barriga com o braço, 133

ude-hishigi-hiza-gatame, chave de braço com o joelho, 132

ude-hishigi-juji-gatame, chave de braço cruzada, 130

ude-hishigi-sankaku-gatame, chave de braço de forma triangular, 134

ude-hishigi-te-gatame, chave de braço com a mão, 134

ude-hishigi-ude-gatame, chave de braço, 131

ude-hishigi-waki-gatame, chave de braço prendendo pela axila, 133

ude-waza, golpes com o braço, 59

ue-ate, grande soco para cima, 245

uke, quem recebe (a técnica), 63

ukemi, técnica de queda segura, 49

uki-goshi, arremesso flutuante com o quadril, 67

uki-otoshi, queda flutuante, 95

uki-waza, arremesso flutuante, 97

ura, por trás, 237

ura-nage, arremesso para trás, 101

ushiro-ate, soco para trás, 244

ushiro-dori, segurando por trás, 181

ushiro-eri-dori, pegada na gola por trás, 199

ushiro-geri, chute para trás, 246

ushiro-goshi, arremesso para trás com o quadril, 100

ushiro-jime, estrangulamento por trás, 199

ushiro-sumi-tsuki, golpe diagonal para trás, 250

ushiro-tsuki, golpe para trás, 140

ushiro-tsuki/mae-shita-tsuke, golpe para trás/para baixo, 251

ushiro-uchi, golpe para trás, 250

uto, násio, 142

utsuri-goshi, mudança do quadril, 92

waki-gatame, chave de axila, 178

yawara, jujutsu, 19

yoko-gake, arremesso lateral, 103

yoko-geri, chute lateral, 202

yoko-guruma, giro lateral, 99

yoko-otoshi, técnica de queda lateral (sacrifício), 82

yoko-shiho-gatame, pegada lateral pelos quatro cantos, 119

yoko-sutemi-waza, técnicas de sacrifício laterais, 59

yoko-tsuki, golpe pela lateral, 184

yoko-uchi, golpe lateral, 180

yoko-wakare, separação lateral, 98

yubisaki-ate, golpes com as pontas dos dedos, 62

yudachi, borrifo de água, 236

yukiore, quebra do gelo, 240

yume-no-uchi, sonhando, 230

zengo-tsuki, golpes para a frente e para trás, 248